センスは5%

クリエイターをサポートするための45の技術

長島健祐
NAGASHIMA KENSUKE

徳間書店

センスは5％　クリエイターをサポートするための45の技術

はじめに

はじめまして。株式会社バーグハンバーグバーグという会社の代表取締役を務める長島健祐と申します。

弊社では「オモコロ」という月間約2000万PVあるおもしろWEBメディアを運営していたり、企業のPRコンテンツをおもしろおかしく制作しています。

いわゆるコンテンツの制作会社なので、社員のほとんどはライターやデザイナー、エンジニア、編集、そして動画や記事コンテンツに出演する演者といったクリエイターです。

僕が会社でやっていることはコンテンツ制作〝以外〟のことすべてといった感じ

で、主に「どうやったらみんなが気持ちよく仕事ができるか」といった人事面、「どうやったらいい感じに無理なく売上を高められるか」といった収益面の管理、つまり「コンテンツの外側を作る仕事」をやっています。就業ルールを作ったり、弊社のメディアを活かした広告商品を作ったり、依頼してくれる企業とのやりとりをやっていると言うと、「社長なのにそんなこともするんですね」と驚かれることも多々あります。

いや、もちろんたまにはいわゆる「社長」というものに憧れて、社員のみんなに「どう〜?やってる〜??」と声をかけたり、ゴルフもできないのにゴルフのスイングをしたりしてなんとなく社長の世界観を演じてみたりしてますが、どうもみんなに無視されています……。

今までの経歴でいうと、動画サイトの広告営業やアライアンス関係のお仕事をしていたり、スマホゲームの会社でＩＰを活用した事業に携わっていたり、メディア事業部の部長をやっていたこともありました。

おもしろいことが大好きでこの会社に入り、かくかくしかじかの流れでたまたま社長に就くことになりましたが、そんな僕はおもしろいことをクリエイティブできる人間というわけではありません(僕も記事を書いたり動画に出演することもあるにはありますが……)。

ということで、この本では、「バズるためのおもしろコンテンツの作り方」にはほぼ触れておらず、コンテンツを作るクリエイターとの関わり方、作ったコンテンツにどのような価値をつけていけばいいかといった僕の担当領域である「コンテンツを作っているクリエイターをサポートしたい人のためのあれこれ」について書かせてもらっています。

コンテンツは作ったら終わりではありません。その後の地道な作業が重要なのに、いかにバズったか、フォロワー数やいいね数ばかりが注目されます。もちろんバズるにはそういった要素が大きく影響していることは間違いありませんが、それ以外で重要なコンテンツの外側の仕事を紹介します。

具体的には、コンテンツ制作会社である弊社の就業規則や社内ルール、そしてクリエイター相手にどういったコミュニケーションをとっているのか、また、広告案件の流れや売上の考え方などに触れ、社員のみんなが楽しく自由にお仕事をするために、ゆかいなコンテンツを作り続けていけるために何をしているのかといったことを僕の実体験を踏まえて書いていきたいと思います。


そもそも僕自身、ビジネス書や自己啓発本が苦手です。

読む度に「そんなことできたらわけないよ」「あなたのとこはそれでうまくいってるかもしれないけど、ウチだとうまくいかないよ」と思っていたりするのですが、それと同様、この本の内容を再現してうまくいくようなものはほとんどないかもしれません。

就業規則や社内ルールなんて会社や社員のカラーによってフィットするかしないかは変わってきますし、経営面においても会社のそもそもの目標やスタンスによって大きく違ってきます。弊社の場合は「上場したい」「市場価値100億円目指したい」といったガッツリゴリゴリの目標があるわけではなく、他の会社と比べるとかなり緩やかなスタンスでやっているがゆえに、皆さんがとうの昔に卒業していたテーマであろう「うんこ」や「しっこ」の話題で未だに盛り上がったりしているような会社です。

そんな会社の社長が書くビジネス本なので、求められるような高尚なことは全く書いてないのですが、ただ、それでも「こんな変な会社でもビジネスできてるんだ」「こんなんで価値を見いだすことができるのか」「だったらなんか頑張れそう」みたいな感じで気持ちが少しでも前向きになれば嬉しく思います。

CONTENTS

第1章 自由に仕事をするためにルールを作る

第2章 組織やチームを作る上で気をつけるべきこと

第3章 バズるコンテンツを作るための組織作りなんてものはない

第4章 おもしろ広告会社の「営業しない」営業スタンス

自由に仕事をするためにルールを作る

第1章

弊社バーグハンバーグバーグはありがたいことに毎日のように採用に関する問い合わせがきます。それぐらい「入社したい」と思っていただける楽しい会社に見えてるのだとしたら本当にありがたいことです。

実際、離職率は極めて低いので、おそらくメンバーにとってそこまで働きづらくはないんだろうなと思います（離職率が低いことが良いとは一概にはいえませんが）。

そんな中、「会社のルールってどのように考えているのですか？」とよく聞かれます。

会社のルールがコンテンツ作りにどう影響するの？とお思いになる方もいらっしゃるかもしれませんが、**いいパフォーマンスをするには、心身ともに健康を維持できる環境や仕組みが必要だと僕は考えます。**

いいコンテンツを多く制作するためにはどういった環境を作ればいいのか。僕の会社を舞台に説明しますが、ここでは「会社」であれば当たり前のルールはもちろん、

「超フレックスな勤務形態」「昼寝ＯＫ」「オリジナル祝日」といった弊社ならではの独特なルールを紹介しつつ、どうやって決めているのか、どういった狙いがあるのか、実例とともにご紹介できればと思います。

1

ルール作りの考え方

弊社にはいわゆる労働基準法に則った就業規則だけではなく、他の会社ではあまり聞かないような社内ルール、制度もいくつかあります。そもそも、なぜこういった「ルール」を作るのか。理由は大きく2つあります。

まずひとつは法で定められてるからです。これは言わずもがなですが、労働基準法など、国が定める規則に則って会社と従業員間でトラブルがないようにするために就業規則というものを作ります。ちなみにこれは、社員数によって労働基準監督署への提出義務も発生します。

もうひとつは従業員に気持ちよく働いてもらうためです。

弊社には色々な職種や雇用形態の従業員がいるため、そういった方たちに「自由」に「気持ちよく」働いてもらうためにルールを制定します。

弊社のような制作会社は特に「人」で成り立っているので、そのメンバーが気持ちよく働いて、パフォーマンスが高まれば会社の成長にも直結します。ルールによってメンバーが一丸となって、ときに自由に、ときに厳しく、そしてできるだけみんなが納得するようルールを作ることで会社で従業員が気持ちよく働くことができると考えています。

そして、これらの「ルール」は、社長である僕も実践できるようなルールでないといけないと思っています。会社の社長は全く働かなくて、ろくに会社にも来ず、飲み歩いてるという話をよく聞きます。もちろんそういった仕事もあるかと思いますし、それで得られることもあるかもしれません。ただ、例えば、社員全員が納期に間に合わせるために頑張っているプロジェクトがあったとして、寝る時間を削って作業をやっている中、社長だけ飲み歩いてて、さらには「今から来ない？息抜きも大事だよ～」とか言われたらどうでしょうか？

現場の状況をわかってないとメンバーの士気にも影響するので、会社にとって良いことはありません。

ルールとは従業員にとっては自分のライフスタイル、ひいては人生を左右するルールになることもあるので、後先考えずにノリで制定したり、自分が実践できないような体を酷使するようなルールを制定してしまうとすぐに疲弊してしまい、社内の雰囲気も悪くなる恐れがあります。

従業員が高いパフォーマンスを出せば、会社は必ず成長します。そうすれば会社としても従業員としてもハッピー以外の何物でもないです。

この本を読まれる方には言うまでもないかもしれませんが、もしルール作りで悩まれてるのであれば、「社員が気持ちよく働けるルールになってるか」「社員だけに頑張らせてないか」という点を踏まえた上で、ぜひ、今までの固定観念を覆してルールを作ってみてほしいと思っています。

2

他の会社の成功ルールはマネしない

僕はこれまで中小企業から上場企業まで一通りの会社で働いてきたわけですが、色々なルールを見て思ったことは「**会社によってフィットするルールは違う**」ということです。社員数が多い大企業で良かったルールが、創業したてのスタートアップの会社にハマるとは限りません。

ルールは、社員の性格や会社のカルチャー、それまでの歩みによって考えていくものであって、他の会社でうまくいっていたからといって導入しても意外とうまくいかないことが多いです。傍から見たら突然できたように見えるルールも、経営陣や人事部が色々な背景を踏まえ、課題を解消するために作っています。

失敗事例は参考になることは多いです。失敗したルールとは社員や組織にフィットしなかったからだと思うのですが、やはり人が嫌がることはたいてい一緒、自分がやられて嫌なことは人も一緒ということがあるかもしれません。

僕が以前いた会社でいうと例えば朝のラジオ体操。朝の出社率が低いということで朝からラジオ体操を実施して参加したらお弁当が支給されるイベントがありました。

体を動かす仕事ならまだしも、インターネットの会社が「なんで朝からラジオ体操しなきゃいけないの？」という感じで面倒くさいと感じた社員が多かったのか失敗に終わりました。

そもそも、朝来ない人がお弁当で釣られるとは考えづらいですが、それでもおそらく色々な人が考えてできた施策だと思います。こういった施策はとにかくチャレンジしてトライ&エラーを繰り返せばいいじゃんとも思いがちで、それは一方では理解できるのですが、一方ではよくわからない制度が増えまくると、社員にとっては「なんでそんなのに付き合わなきゃいけないんだ」「また変なことやってるよ」といったヘイトに繋がりやすいので、本当に今の組織に合うかよく考えながら施行したいところです。

ちなみにこれらは人事面での話でしたが、**クリエイティブ面でも成功の横展開はなかなか難しい**です。以前、ゲームやアニメの立ち上げに関わったことがあったのですが、その会社はいわゆるコンサル出身の人が多かったのでキャラクターを作るときも

「今何頭身キャラが流行ってるからこういうデザインにします」とか、誰かをキャスティングする際も「この人はフォロワーが多いし、この人が関わると人気が出るのでキャスティングします」みたいな理由をつけて制作をしていました。ゲームやアニメの制作には莫大なお金が掛かるので、決済する部長も承認するのに何かしら理由が欲しいと思うのである種やむを得ない制作の仕方だったのかもしれません。ただ、ちょうどそのときめちゃくちゃセオリーを無視したアニメが世界的に大ヒットして、「流行ってるのマネしてもうまくいかないよな」ということを感じました。

3

自由度を広げるためにルールを作る

僕が社長になるまで弊社には就業規則というものが存在していませんでした。

就業規則は従業員数によって作成の義務が発生するかどうかが変わってくるので、当時は作成しなくても良かったわけです。ですが、就業規則がなかったがゆえに、「何をしたらだめなのか」「どういう働き方がOKなのか」といった明確な基準が存在しないため、都度上長が判断していました。

当時、なんとなくあったルールとしては、「だいたい10時から19時まで働く」「必要に応じて残業をする」「用事があれば『休みたい』と言ってお休みを取る」ようにしていました。それはそれでとても良い規則ではあります。

ただ、例えば「一週間休みたい」と言ったらダメと言われたり、遅く出社すると注意されたりはするので、注意された本人からすると「ルールもないのになんで怒られたんだろう」といった負の感情となり、なんだか腑に落ちません。怒られることは誰だっていやですよね。


そういったこともあって、就業規則をしっかり作りました。

「この時間にきたら怒らないし、この時間から大幅に遅刻したら注意する場合もある」といった**みんながわかるルールを敷くことで、それ以外は自由にしていいんだと思い、逆に自由度が広がったと感じます。**

休みに関しても「用があったらその都度休む」というスタイルではなく、「有給休暇」という法に則ったルールを作ることで「ルールなんだから休んで良いんだ」という風潮をつくり「休むことは悪じゃない」という感じにして、それぞれの休みを楽しんでもらっています。

ちなみに、一般企業の有給消化率は40％くらいといわれていますが、弊社の有給消化率は90％以上です。

（なぜ１００％じゃないんだと思うのですが、１００％消化していないメンバーにいわせると、「１００％消化しちゃうとなんかあったとき怖いから」とのことでした）

「ルールを作る」というと、堅苦しくて行動範囲が狭まる印象もありますが、それもケースバイケースで、逆に自由度が増すこともあると思います。

4

勤務時間は超フレックス

勤怠管理はわりとしっかりやっています。遅刻せずに就業しているか、サボりまくっていないかをチェックするだけでなく、働きすぎていないかをチェックする意味でも管理をしています。

弊社では月の就業時間を決めており、その最低限の勤務時間をクリアしたら、あとはコアタイムだけお仕事をしていただけたらOKとしています。だから、日によっては数時間だけ働いて帰るメンバーもいます。これは僕もそうなのですが、集中できる時間は人によって違いますし、なんだったら日によっても違います。なんだか集中力が上がらないという日はさっさと帰ったり、集中力が上がるまでYouTubeを見たりと人によって色々使い分けすることが可能です。逆にめちゃくちゃ集中できちゃってる日はそのままのノリで頑張れる形にしています。

コアタイムの時間帯は（コロナ禍もあって）色々変遷がありました。あまりにコアタイムが短くて「このメンバーとは全然会ってないいな」みたいなことがないように調整しています。やはり対面で会うこと、同じ空間にいることは大事だと思っていて、会社内で起こる出来事をみんなで共有したり、フランクな雑談をすることで進む仕事や形成される価値観もあったりするので、そこはしっかり醸成できるようにと思っています。

ただ、**会社としてはしっかりパフォーマンスしてくれたら概ね問題ないと思っているのである程度、自由に働けるような勤務形態になるよう心がけています。**

5

オンラインよりオフラインでのコミュニケーションを大切に

弊社ではくだらないチャットをするのがひとつのカルチャーとなっていて、多くのコミュニケーションはチャットワークで行っています。そんな**インターネット的な弊社ですが、対面のコミュニケーションを大事にしています。**

やはり文字だけだと淡白で冷たく感じますし、余計な文脈を感じてしまいます。対して、声色、表情などを使って対面で話したほうがストレスがなく、圧倒的に早く物事が進む印象が強いです。

新型コロナウイルス感染症が流行りはじめた頃、弊社はいち早く出社を禁止にして完全にリモート業務に切り替えました。そのときは新型コロナウイルス感染症がまだどのような病気かもわかっておらず、誰しもが不安に陥っていた時期でした。

コロナ禍になって数年が経ち、弊社も世間もオンラインで仕事ができる土壌ができてきて、それはそれで活用しているのですが、一方で改めてオフラインの偉大さを感じており、そこには越えられない壁があると感じています。

例えば、打ち合わせ。Zoomで行う場合と、実際対面でやる場合を比較すると、現

ランチを楽しんでいる様子。

代の環境だとタイムラグなどもほとんどないのですが、対面の場で発生するその場の空気感の欠如やネット環境で生じるほんのわずかなタイムラグによって、とても大きい何か（気持ちの熱のようなもの）が欠ける気がします。また、依頼の気軽さみたいなのにも差があると感じます。リモートの場合、数分であってもわざわざ「今オンラインでちょっと話せますか？」と聞かなければいけないところを、対面だと、メンバーと社内ですれ違ったとき、休憩に行くふとしたついでなどでフランクに話しかけることもできます。また、話す前も、表情を見ることができるので「今話しかけて良さそうだな」「今はちょっと忙しそうだな」といった感触もわかるのも良いところです。実際、リモートワークからハードの出社に切り替えている企業も多いので、やはり、これはどこも同じものなのかなと思います。

ちなみに、弊社ではみんなでランチを食べる、飲みに行くなど、いわゆる飲食を通じてコミュニケーションを図るみたいなことも盛んに行っています。食べることが好きな人は比較的多いかと思いますが、そういったテーマで盛り上がる、みんなと価値観を共有するということは少なからず関係値の構築にも繋がっているようにも思えます。

といっても、コミュニケーションを活性化したくて企画してるわけでもないのですが、結果としてみんなでご飯を食べることがいい効果を生んでいるように思います。

6

オンラインのコミュニケーションも大切に

オフラインが大事といった矢先ですが、当然オンラインのコミュニケーションも大切です。

人との関係値はコミュニケーションの量と質によって形成されるものだとしたら、オンラインであろうとコミュニケーションは丁寧にするに越したことはありません。

「丁寧に」というと、へりくだった言い回しで言うのがいいのかというとそうではありません。

例えば、「〇〇をお願いできますか？」とお願いされた場合、次のうち、どちらがノリノリに返事しているように見えるでしょうか？

(A)はい、わかりました
(B)はい！わかりました！！！

なんとなく、Bのほうが「気持ちよく応答してくれてるな」「怒ってはないんだな」

と感じると思います。

すごく小手先のようなテクニックですが、文章を「。」で終わるより、「！」など、文章に感情を少しだけでも乗せてあげると気持ちや温度が感じられます。そんなことをいうと、「とりあえず全部の会話に！マークをつけたらいいんですか？」と思うかもしれません。僕の答えとしては「そうです！！！」という感じです。

ほとんどのビジネス文書の場合、相手に自分の感情のブレを見せる必要はありません。

ですが、弊社の中にいるときの僕のように、周りより年齢が上で、社長といった役職がある立場の人は、何もしなくても怖く見られがちです。オンラインだと顔色や声色が伝わらないので、できるだけ本意ではない感情を抱かれないように、敵意を感じられないようにすることが大事だと思います。

ただ、ここらへんは会社によってノリや文化が全然違うことも同時に忘れてはなりません。！マークや絵文字などを多用する文章は「おじさん構文」ともいわれ、使う相手によってはしっかりキモがられます。

あくまで弊社（特に僕）がオンラインのコミュニケーションで意識してることということでご理解いただけたらと思います。

7

みんなで息抜きをしよう

社員のみんなでコンビニに行く様子。ときにはみんなでサボることも大事!?

サボるときはいっそ、みんなでサボってもいいかもしれません。

僕は15時頃にコンビニへ行くことが多いのですが、ひとりで行かずに誰かと行くようにしています。

当時のオフィスはコンビニまで10分ほど歩かないと行けなかったのでその道中が寂しいということもあり、誰か特定のひとりだけではなく、みんなを誘って行くようにしていました。そしたら同士が集まってくるので、ゾロゾロとコンビニへ向かうわけですが、オフィスでは話すほどのことではないようなこと、例えば最近見たYouTube

の話だったり、ＳＮＳで見るようなニュースなど、チャットコミュニケーションでは生まれないような会話が生まれるのでとてもいいです。コンビニに行くときは気持ちが緩んでることもあってか、会話の内容もまた違ってくるんだと思います。

弊社では、社内イベントとして毎年「さわやか」という地方のファミレスへみんなで行ったり、小さな社員旅行もやったりします。みんなの頑張りで成り立っている会社なので、みんなでみんなを労ったり、楽しい時間を過ごしたいというのが一番なのですが、やっぱりいつもと違う空間なので、話題もいつもと違うことになりますし、共通の思い出もできるので良いことだと思います。

で、これってたぶん「チームワークが醸成される」みたいな効果がある気がするのですが、サボりに意味を持たすとなんだか緊張するので、そんなこと考えずに「みんなでサボりたいからサボる！」「質の良いサボりをしたいから頑張る！」とあくまでただただサボるということを大事にしています。

8

昼寝をOKとする

弊社では昼寝を1時間まではOKとしています。つまり、休憩と組み合わせると2時間昼寝をしてもOKということになります。

昨今、会社のルールとして昼寝OKの企業は多いです。僕が今までいた会社でも昼寝OKとしていた会社はいくつかありましたし、仮眠スペースがある会社もありました。ルール化はされてなくても昼寝しても特に怒られない場合がほとんどなので、もはや珍しくはないかもしれませんが、弊社の場合は就業ルールにもしっかり記載しています。そのこともあって「寝ても怒られない」「合法的に寝て良いんだ」と思ってもらえているようで、業務時間中に昼寝してるメンバーは多くいます。

中には出社してすぐに寝たり、帰宅する前に寝たりするメンバーもいて、「そのタイミングで昼寝する意味ある？？」と思うこともありますが、ここらへんの良し悪しはA／Bテストしづらい領域ですし、我々にとってひとつのカルチャーでもあるので一旦はこのまま続けています（どんなカルチャーだよ）。

「昼寝を取り入れることで業務改善してる実感はありますか？」と聞かれることはし

ばしばあります。自分の話や周りの話でいうと、スケジュールがタイトな案件があると前の日に深夜まで対応してることも稀にあって、そのまま寝不足で出社するため、なんだか一日中頭がぼーっとしてるときは、トイレや机でうとうとするよりも、いっそ昼寝をしてリセットすることでその日を頑張って乗り切れることもあるので、そういう意味では良いと思います。他には、お昼ごはんをいっぱい食べて眠くなっても安心だとか、夜中にゲームをしたいから業務時間中に寝て睡眠時間を確保すると言ってたメンバーもいました。

仕事は真剣にマジメにやらねばならないという意見もよくわかります。ですが、自分の人生を生き抜くためにもときには息を抜いて、自分本来の姿を取り戻す時間があってもいいように僕は思っています。業務改善になっているかはわかりませんが、メンバーにとっては少なくとも有意義な制度を担ってるのかなと思います。

また、最近オフィスを引っ越して休憩スペースも刷新されたわけですが、「昼寝のしやすさ」ということにも気をつけて設計しました。多くの人が横になれるようにソファを二段にしたり、上にいる人が寝ぼけて転げ落ちないようにストッパーをつけたり、オットマンを駆使することで巨大ベッドを作るようにできたりと、色々な工夫をしました。引っ越ししたてで寝心地が変わるので寝づらくならないか心配だったのですが、みんな持ち前の適応能力の高さを見せつけるかのごとく、すぐにしっかりとした熟睡を炸裂させてました。

昼寝をしている社員たち（旧オフィス）。

新オフィスの昼寝スペース。ソファの位置を調整できるようにな
っておりでっかいキングベッドを作ることも可能。

9

オリジナル祝日を作ってみんなで休む

日本は祝日が多い国といわれていますが、そんな日本でも6月のみ祝日がありません。**6月は祝日がないくせに梅雨で気分が上がらなかったりするので、余計に祝日がないことへ精神的負担を感じます。ということで、毎年適当な名称をつけてオリジナル祝日を作り、勝手に休日を制定しています。**もちろんこれは特別休暇なので、有給を消化することなくお休みを付与しています。

過去のオリジナル祝日の名称

２０１１年：「国民の屁の日」
２０１２年：「ヘム鉄の日」
２０１３年：「父の父の日」
２０１４年：「鉢底に敷く石の日」
２０１５年：「祝日をやめて10日休んで熱波のインドに突撃」

2016年：「なんでも溶かすキックの日」
2017年：「歯を磨かない日」
2018年：「6月32日だと思いこむ日」
2019年：「あったらいいなジャンボエクレアの日」
2020年：「ださいマウスポインタの日」
2020年：「ほうれん草の夢を見る日」
2021年：「不意に下唇を触る日」
2022年：「高性能おけつアッパーの日」
2023年：「追い焚きに次ぐ追い焚きの日」
※2020年は10月も祝日がなかったため2回祝日を制定

僕は幸いにも「仕事」というものが大好きです。これはなぜかわからないのですが、昔から仕事が好きで「朝起きるのしんどいからこのまま寝続けたいな」と思ったことはあっても、「仕事がイヤだから行きたくないな」とは思ったことがありません。

そんな仕事が好きな僕でも、土日はとても好きです。祝日はさらに好きです。何もすることがなかったとしても、夜更かしできるとか、翌日ずっと寝ていることができるので最高です。

ただ、会社としては決して得ではありません。1営業日減るということはすなわち稼働量が減ることになるので、いわゆる生産数が落ちます。だから、一般的な社長にとっては祝日というものは両手離しで喜べるものではないのかもしれませんが、僕はそうでもありません。社長になって売上も大事なのですが、土日は嬉しいし、勝手に作る祝日はもっと嬉しいです。

最初はこの制度のモノ珍しさからSNS等でも話題になり、メディアから取材もいただいて、広報観点でも十分良い施策だったのですが、もはや珍しさも消えて従業員にとっても付与されて当たり前みたいになっているので、単に休みが増えているだけになっています。

従業員の労働時間は減るので一見すると会社にとっては損なのですが、社員も、そして社長である僕も「なんか休みが増えてラッキーだな」と気持ちが上がったりするので潜在的に効果があるのかもしれません。

ちなみに、祝日の名前は毎年僕ではないメンバーが命名しています。もう10年にもなる制度なのでそろそろ飽きてくる頃かもしれませんが、これによって大事な祝日が一日増えるということもあって毎年頑張って考えてもらっています。

10

仕事中SNSばっかりやってもOK

弊社では就業時間中にX（Twitter）をやっていても注意しません。会社によってはXにアクセスすらできないところもあるみたいでそれはそれで至極まっとうな会社とも感じるのですが、弊社の場合、業務上SNSはとても重要です。

弊社は「話題化されるコンテンツ制作を得意とする会社」と謳っているわけですが、「とにかくバズれば良い」とは思っていません。あくまでそのコンテンツに触れてくれた読者が楽しく、ポジティブな読後感を受けて思わずシェアしたくなるような感じにできればと思っていて、いわゆる炎上商法的な感じでバズることは本意ではありません。

日頃からXに触れることで、今話題になっていることをチェックするだけでなく、「人はこういうものに興味があるのか」「こんな感じに振る舞ったら嫌われるのか」など、ネット社会において重要な情報やマナーがいっぱいあると感じるため、そういったことを学ぶ意味でも重要な業務ということで、XをやっていてもOKとしています。仮に、全く関係ないTLを追っていても特に怒りません。

X同様、YouTubeばかり見ていても怒りません。YouTubeに限らず、Amazonの

Prime Video、Hulu、Netflix、TVerなどもＯＫです。Ｘと同様にYouTubeの動画も企画や炎上対策の意味で参考になる部分もありますし、制作会社である以上、今トレンドにあるものを情報として入れておくことは重要です。仮に、納期が遅れてるライターがいたとして、そのライターがＸとかでのんきな内容を更新してたりしても注意することはありません。ＳＮＳを更新することによって制作リズムが保てる場合もあると思いますので、生活の一部として大事なこととして捉えています。**というのは建前です。**そんなことは本気で思ってるわけではありません。ただ、究極、業務にクリティカルに支障がでなければ別にいいじゃん、リフレッシュになっているのであればなおのこといいじゃんというのはあります。

また、先に書いた通り、少なからず勉強になってる気もするので、一応会社もうまくいってることなので、ある程度は見過ごすようにはしています。

以前、打ち合わせでお取引先さまの会社へお伺いした際、執務エリアを通って会議室に通されたのですが、同行していた弊社社員が「御社って誰もYouTube見てなくてちゃんと仕事してるんですね！」と言ってました。担当者は「それの何がすごいんだ、当たり前だろ」といわんばかりの顔をしていましたが、弊社ではアニメやバラエティなどの動画を当たり前のように見ているのでそういう意味でも弊社のメンバーは素直に驚いたんだと思います。

11

最悪、競馬のレースを見ていてもOK

業務時間中に競輪レースを見る社員。

先日とある社員が業務時間中にしっかり競馬のレース動画を見ていました。

ビジネスの世界でも競馬ユーザーは非常に多く、実際競馬をすることで勝負の流れを読む力を養えたり、競馬コミュニティによる人脈が広がったりと得るものが多いと考えます。

また、この社員は競輪を見ていたこともあります。レース展開を読み解く力、人間の動力、ライバルとの駆け引きなどの魅力はクリエイターとしても参考になるものがきっとあるのでしょう。

と、自分に言い聞かせてみたのですが、おそらくないと思います。この社員の行動を肯定化したいと思ったのですが、さすがにできませんでした。

現状、本人には注意をしていませんが、何かあったときにこのカードを出すことでその社員との駆け引きを有利に進められるよう、一応、証拠写真は押さえておきました。

ちなみに、めちゃくちゃ堂々と見てたので、堂々とすることはやっぱり大事なんだなと逆に学びました。

12

お掃除のルールをしっかり作る

弊社では記事や動画の企画のために、色々な小道具や衣裳を制作したりすることがあります。他の会社と比べてもかなり物が多い会社なのでゴミも溜まりやすいのですが、それを差し引いてもゴミが多いです。

衣裳の脱ぎっぱなし、撮影で使った小道具の出しっぱなしはもちろん、飲み終わったペットボトルのゴミ、よくわからない落書きが書かれた紙などいくら注意してもなくなりません。

それなのに勝手に捨てると「それは使うものだった」とか言われたりして掃除をする人もとても困ります。ということで、しっかりとしたお掃除ルールを作りました。

弊社のお掃除基本ルール

・私物や捨ててほしくないものは「自分の机」(机の下も可)に保管すること。

・撮影で定期的に使用するものは倉庫のボックスか倉庫のハンガーにかけること。
・どうしても執務スペースに保管したいものは日付を書いて張り紙をすること。
・これに外れてるものは独断でバシバシ捨てていきます。

といった感じです。給湯室でも倉庫でも自分の私物を置くことを禁止して、そこにあるものは勝手に捨ててもいいという感じにしました。

お掃除ルール制定の背景としては、「お客様がきたとき印象が悪い」「業務（導線、会議等）の邪魔になる」ということはもちろん、「掃除をしてくれる人への負担を減らしたい」ということもありました。

一般的にも、就業規則的にも「オフィスをきれいにしよう」ということは推奨されてるはずではありますが、お掃除のルールを作るにあたって、「そもそもなんで汚いとだめなんだっけ？」というところから説明しました。

もちろん、お掃除ルールが制定されてもお掃除ができない人はできないです。た

旧オフィスの掃除風景。仕事場なのかゴミ屋敷なのかわからない。

だ、こういったルールがあることで「お掃除ができる人」が自主的に清掃できる仕組みにしたことで、少しずつオフィス美化レベルが上がりつつあると感じています。

ルール化することの弊害もたまにあります。

以前、男性のトイレでうんこが流れていないことがありました。これに対して「うんこ流してください！」

と全員宛にアナウンスしたのですが、「うんこを流さなきゃダメというルールってあるんですか?」と反論してきたメンバーがいました。たしかにこれはルールに書いていなかったので怒ることはできませんでした。ルールを作ると穴をついてくる人は必ずいます。ルールを作るのであれば、しっかり網羅的に制定しないとと思いました。

また、これ以来「自分が出したゴミはしっかり片付けること(糞尿含む)。」という一文を追加しました。

13

オフィスを移転してみる

先日、オフィスを移転しました。今の従業員数からするとかなり手狭で、拠点も何箇所かに散らばっていたのでひとつに集約する意味でも広めの事務所に引っ越しました。

弊社にしては過去最大規模の引っ越しとなったわけですが、引っ越してそんなに時間は経っていないのですが、すでにとてもよかったといえると実感しています。

前のオフィスは8年くらいいたわけですが、そこからすると事業規模や内容も変わってきてるので、そういったポイントも踏まえた仕様にしました。

かつて六本木ヒルズに入っている会社に勤務していたことがあり、「なんでこんなに賃料が高いところにオフィスを構えているんだろう」と不思議に思ったことがあるのですが、なんでも、**六本木にオフィスを構えているというだけで応募してくる人もいて採用に効くとのことでなるほどなと妙に納得したことがあります。**

弊社の場合は、とにかく制作環境を高めることに意識しました。例えば、今まで執務スペースの一部で撮影していたのですが、専用のスタジオを作って設備面（照明や防音性など）にこだわったり、小道具などを見つけやすくするために倉庫を広く確保して整理整頓をしやすくしたり、また、みんなといる空間を有意義なものにするために休憩スペースの広さなどにもこだわりました。その他、各スペースの間隔、机の広さ、壁の色など業務のパフォーマンスが上がるようにと色々な観点で気を遣いました。その甲斐もあってか、前のオフィスでは考えることもなかった企画を考えられたり、今のオフィスを活かした作業ができるので全体的なパフォーマンスは高まったように思います。

移転に際して、大変なことはいっぱいあったのですが、ここでも苦労したのは「掃除」です。何をもっていくか、何を捨てるか、その判別作業がとても大変でした。

僕からすると「こんなものももっていくの?」とツッコみたいものもありまして……なんというか大量のゴミを捨てつつも、大量のゴミももってきた感覚でした。

14

ルールをハックしようとする人への対応

ルールを作る弊害として「ルールをハックするやつ」というのが必ず出現します。

僕はメンバーとの付き合いが長く特性もわりと知っているので、**ルールを作る際は「こういうツッコミが入りそうだな」といったことも想定して作るようにしています。**

最近も弊社が運営しているメディアのラジオで、僕が聞いていないと思ってか「今は引っ越ししたてで稟議がざるになってるから今のうちいっぱい稟議出したほうがいい」といった事を言ってたり、「加湿器がほしい！」と言った社員に対して、たしかに乾燥していたということもあって、かなり大きな加湿器を購入して設置したら、その近くにいた別の社員が「除湿機がほしいです！加湿器の前に置いて戦わせたいです」とわけのわからないことを言ってきたり、ほうぼうからよくわからない意見がとんできます。

ルールを立てるときには、ツッコミどころを意識してたくさんの目線を組み入れて設計しています。が、「加湿器vs.除湿機を見たいので除湿機を購入してほしい」といった想定外の申請も来るわけです。

こういうときはどうしているか。定量的、定性的両軸のバランスを見ながら判断するようにしています。

例えば加湿器であれば一般的な推奨湿度などがあるのでそこを指標に置きつつ、執務スペースの実際の数値を計測して定量的に判断していきます。「空気が乾いている」というのは個人によっても感覚の差があるので全員の意見を聞くわけにもいきません。自分の感覚に頼りすぎないように注意します。定性的にというと、「これを導入したらビビるだろうな」「盛り上がるだろうな」という感じを意識しています。例えば今回に関していうと「除湿機を導入する」です。きっと一部のメンバーは盛り上がると思います。ただ、この定性判断はとても難しく、結局は個人の感覚によるものですし、仮に除湿機を導入して加湿器と戦わせてもすぐ飽きるのは目に見えています。定性的すぎるのはよくありませんが、いずれのバランスも大事にしています。

もちろん他にも大切なことはありますが、最低限守りたいルールさえ作っておけば、どんなにブレてしまったとしても会社として立て直しが利くので、不安はないと思います。**ルールは自由になるためでもありますし、元の場所に戻ってこられる安心感を得るために作るものでもあると、僕は考えています。**

COLUMN 1

チャットコミュニケーションでの振る舞い

昨今、社内外問わずコミュニケーションの手段は、対面や電話ではなくメッセンジャーツールを活用することが多くなってきたかと思います。

特に会社においては年齢や役職が上がっていくと社員とのコミュニケーションも希薄になりがちかと思いますが、現場メンバーとの関係値はやはりコミュニケーション量に比例すると思います。

前述の通り、僕はチャットのときにただ無機質に言葉を伝えるのではなく、ほんのひと匙程度ではありますが、感情を乗せることにしています。

ここでは実際に僕が普段どのようにチャットでコメントをしているのか、実際に送ったメッセージを紹介したいと思います。改めて活字で見るとかなり気持ち悪い変なおじさんだと思われるかもしれませんがこれが僕のリアルです。

■プロジェクトの終了には労いのコメント

社員A
TO ALL
こちら無事公開されました！！！！！！
ご協力してくださった皆さま
ありがとうございました！！！
https://omocoro.jp/kiji/××××/

社員B
お疲れさまでした！！

社員C
ウオオオオオオオオ！

社員D
ギリギリまでおつかれさまでした！

社員E
スーパーお疲れ様です！

社員F
おつかれでした！

長島
皆様、おつかれさまでした！

長島
今後の流れですが、
〇〇〇〇〇〇
といった感じでございます!!!!
質問などありましたら、
長島までドシドシお声がけください!

社員A
私はこれがいいです!

長島
ええやんええやん!!!!!!!!!!

社員A
TO 長島
TO 社員B
TO 社員C
TO 社員D
7日（水）の11時30分にお店に行きましょう!!!!!!

社員B
やった!

社員D
了解です!

長島
Oh My chupa chupa♪

※Oh My chupa chupaとはポジティブな相槌として使用している筆者オリジナルの造語。

■立場関係なくしっかりお礼を言う

長島

ありがとうございます!!!!!!!!!!!
とても助かりました!!!!

長島

←RE 返信元 パートナーA

迅速にご回答いただいたうえに、
めちゃくちゃわかりやすくて素晴らしいコメント、
本当にありがとうございます！
最高すぎです！
とってもわかりやすかったです！
かなり参考にさせていただきます！！！！

■感謝のメッセージは色々なパターンでアクセントを

長島
←RE 返信元 社員 A
BIGKANSHA です！

社員 A
←RE 返信元 長島
了解しました！
取り急ぎ、サムネこちらになります！

長島
BIG の KANSYA でございますで アゲ〜〜〜

長島
別途、詳しく共有しますが､○○○、とても効果あったようです。

社員 A
つまり GOOD DAY......?

社員 B
嬉しい､､､､

長島
NON NON NON ！！！！
Chu Chu Pa Chu Pa Chu ！！！
Super BIG Dainamaito GOOD DAY ！！！

社員 A
←RE 返信元 長島
できました！ご査収ください！

長島
大 KANSYA ハッピーバースデー伯爵曰く
「ありがとうございますトゥーユーじゃぞ」

お祝いごとには勢いよくコメントする

社員 A
先ほど子が産まれました!!!!ウワ〜〜〜〜〜〜

社員 B
おめでたい!!!!!!!!!!!!!!!!!

社員 C
おめでとうございま
す!!!!!!!!!!!!!!!!!!

社員 D
おめでとうございますっっ
っ!!!!!!!!!!!!!!!!!!

長島
よっしゃーーーーーーー!!!!!!!!!!!

社員 E
おめでとうございます!!!

長島
おめでとうございます!
大 HAPPY FUTURE SHOCK KANSYA !!!

※大 HAPPY FUTURE SHOCK KANSYA とはかっこいいと思われる単語を並べて感謝の意を述べてる筆者オリジナルの造語。

■言語化できない感情もひとまず放出してみる

社員 A

公開 1 週間の数値‥xxxxxx PV ！！！

社員 B

やったーーーーーーーーーーーーー！！！！！！！！

長島

oh! pin pin Gin!!!

社員 A

知らない人も多いかもしれないのですが、
xxxxxx で検索すると、
仕事関連のフォルダが出てきます。

長島

oh my ピチョーン

※「oh pin pin Gin」「oh my ピチョーン」ともにポジティブな気持ちを述べてる筆者オリジナルの造語。

謝る場合はマジメに

社員 A

“ 社員 A

> 2/6（火）カメラ 1 を 11:00〜19:00 まで
> ○○の撮影で使います！

TO ALL

こちら今どこにありますか？！

長島

←RE 返信元 社員 A

申し訳ございません！
こちらチェックせずに借りてしまってました！！！

年齢を重ねるごとに不思議と素直に謝れなくなる人が増えてきます。自分に非があるときは素直にふざけずに謝りましょう。謝らないと相手はずっともやもやすると同時に、「あれ、謝ってこないってことは間違いだって気づいてないってこと？こいつやばいやつなんじゃないか」と不安がられます。

ちなみに、チャットでの振る舞いの話でいうと取引先から「なるほでィングですね…」とメッセージがきたことがありますが、なんか気まずくなってしまいスルーしてしまいました。

組織やチームを作る上で気をつけるべきこと

第2章

バーグハンバーグバーグの社長として5年の月日が経ちました。

社長として考えなければいけないことは意外と多く、メンバーのパフォーマンスを高められるか、心身の健康維持、環境整備、待遇、チームワークなどなど、それら諸々のバランスを保ちつつ会社を衰退させないようにしなくてはいけません。

ただ、幸いなことに今のところは順調で楽しく経営しています。弊社のメンバーはこれまた幸いにも個性が強く素晴らしいメンバーばかりなので、僕自身が出しゃばって何か仕掛けるというよりはいかにみんなのパフォーマンスをあげるとか、気持ち良く仕事ができるかといったところに重点を置いてます。

ここでは「おもしろいコンテンツを作って売る会社」の社長として意識していることや、社長をやってみて感じたこと、これから先の目標の考え方についてを書こうと思います。

15

現場に立って
しっかりがんばる

よく「社長ってどんな仕事やってるんですか」と聞かれます。現在、約30名くらいの小さな会社なので経営というよりは各事業部の数値を管理したり、バックオフィス全般（経理や総務、人事面など）などをしたりしていますが、一番はクライアント対応です。

弊社は基本的にインバウンド対応しかしないことからも、ゴリゴリに営業するわけではないのですが、それでもお問い合わせがきたら返信して、クライアントと打ち合わせして、提案〜制作進行などは未だにガンガンやっています。

社長になって思ったこととしては、社長という肩書だけでひとつ武器が増えるみたいなところがあって、僕がクライアント対応をすると「お、この会社は社長自ら話を聞いてくれるのか、なんか安心できるな」という感じになって、こころなしか社長になってからのほうが受注率が高まっている気がします。

また、交渉の過程でも「社長が言ってるんだから仕方ないか……」といった感じで色々ご理解いただくことも多いです。そんな武器があるのであれば、それを使わない手はありません。**社長という立場を利用して社長の特権が生きる仕事をバリバリやっていくことが良い**と思います。

そして何より、**社長は社員からの信頼が必要**です。とある経営者が「社長は人の良さや謙虚な気持ちが大事。人の良さは老いに影響はしないからとにかくいい人であれ」と言ってました。

では、そもそもどうやって人の良さを保つか、ひいてはどうやって自分を見失しなわないようにするかですが、**失敗事例をいっぱいチェックするということ、そして調子に乗ったらメンバーから指摘されるような関係性を築くこと**です。

失敗事例でいうと、会社が失敗した事例や問題を起こしたというのはニュースを見れば年に何個もあります。**「こういうことで失脚するんだな」というのをチェックしては自分はそうならないように戒める**ことが大事です。

とはいうものの、そもそも自分自身が狂ってしまったら狂ってることもわからないので気づきようがありません。なので、**社員から指摘されやすい環境をつくることが大事です。**

僕が以前いた会社では「オープンドアの日」と題して、社長がドアを開けたまま会議室にいて、その日は誰でも社長に話せるという日を定期的に作っていました。そこでは相談や雑談もあれば、ときに「なんとかしてくれ！」といった指摘や不満を言ってもＯＫです。**社長とは思ってる以上に壁を感じるものなので、とにかくみんなと対等でいること、会話する場を増やす事が大事**だと思ってます。

16

何かあれば、苦しいほうを選んでいく(できれば)

よくAかBかで迷ったら苦しいほうを選べということを聞きます。楽なほうが良いじゃんと思うし、この歳になるとストレスない仕事をやり続けたいとも思うので、なかなか苦しいほうに進んでいけないのですが、今までのキャリアを振り返ってみても、もう二度と経験したくないような苦しい経験から得られることはとても大きかったですし、今思うとあの経験はしておいてよかったなと思います。

よく会社のプロジェクトでデスマ案件（デスマーチ案件）というのがあります。誰もやりたがらないような過酷なことがわかっているプロジェクトのことですが、僕はこういった類の仕事があればわりとやってきたタイプでした。

こういったプロジェクトは「やります！」と言った人にとにかく仕事を任してくれますし、意外と自由度も高く、会社からも頼られることが多いです。僕は単純にチャレンジしたがりというもとからの性分もあって、単純にチャンスと感じてしまうのです。

そもそも失敗する確率のほうが高そうな案件なので失敗しても評価が下がったりすることが少ないですし、（失敗すると思われていただけに）成功したらその分しっかり評価されます。

また、そういったチャレンジで得られる人脈や経験も大きいです。僕の中ではドワンゴ時代に経験したニコニコ超会議がそれです。今となってはとてもしっかりしたビッグイベントですが、第一回目のニコニコ超会議はやることだけ決まっていて中身が何も決まってない、指揮を取る人がだれもいないということで、とても最悪プロセスを踏んでいて、中身のコンテンツも全然決まらず、スポンサーを探さなければいけないけど（何やるかわかってないので）全然集まりませんでした。

そもそも、ネットサービスを展開している会社がめちゃくちゃ膨大なリアルイベントをやるということで、カルチャーも違うし、はじめてだからみんな触れようとしない中、僕は企業誘致の営業担当としてひたすら行動したのを覚えてます。最後の1ヶ月で参加する企業とかコンテンツとかが全部決まったんじゃないかというくらい突貫的な進行をしてたと思います。

あのイベントは立場や職種によって見えていた景色が違うと思いますが、少なくとも僕はとてもいい経験をしました。頑張ってる僕を見かけては事業部を越えて声をかけてくれたりして信頼度が高まっていってる実感もしましたし、**何より「あんだけ大変なプロジェクトを乗り切ったんだから、今後過酷なことがあっても頑張れるんじゃないか」といった精神的なタフさも身についた気がします。**

ただ、同時にそういった案件は精神的にも肉体的にも相当な負荷が掛かるので、無理してチャレンジすることもないとも思います。それで体を壊しては元も子もないのでそこは大事に判断していきましょう。

17

社長といえど、同じ勤務時間、同じ有給数

ルールを作るときは社長といえど、同じルールに則ることは先に書いた通りですが、これは勤務形態や有給制度においても同じです。

社長だからといって働く時間が少なくていいというわけではないですし、偉いからといって休みまくっていいわけではありません。弊社の場合、勤務時間においても、従業員と同じ所定労働時間を働き、コアタイムも同じような形にしています。

有給休暇（賃金が保障された休暇）も同様、そもそもの付与日数は継続勤務期間によって決められているのですが、これは社長といえど、従業員と同じように付与され、同じ数だけ使用しています。社長は社員ではないので、法律的にはいつ働いてもいつ休んでも良いのですが、弊社ではそういったことはせず、従業員と同じ内容で運用しており、有給を取得する場合はしっかり申請をして取得しています。

弊社に関していうと、そもそも社長だから偉いというわけではありません。**社長だとしても同じルールにすることで、メンバーとの関係値をフラットに保てたり、意見を言い合ったりすることができますし、一緒に過ごす時間が長ければ長いほど、関係性も深まり、結果として楽しい時間を多く過ごすことができる**と感じています。

18

自分のマナーで足を引っ張らない

かれこれ20年近く会社員をやってきて、ときに友達から、ときに取引先の方から色々な「社長の愚痴」を聞いてきました。もちろん、完璧な人間なんていないわけですから、ひとつやふたつくらいの社長の愚痴はあるに決まっています。

ただ、ときとして、「社長の素行の悪さが会社に甚大な影響を与える」ことがあります。会社に属している以上、少なからず社員は不満を抱えていると思います。人間関係がうまくいかない、給料が安い、やりがいがない、そしてそれが発展すると「違う職場にチャレンジしてみたい」といった感情に変わります。

転職はポジティブな理由からネガティブな理由までいろいろあります。どれかひとつが悪いからどうというよりは、全体的なバランスだったり、積もり積もったものがとあるきっかけで一気に崩れることが多い気がします。そして、それは**社長の素行の悪さがトリガーであることも少なくありません。**社長がお金を使いまくってた、社長が週刊誌にすっぱ抜かれたなど、ふと「なんでこんな社長の会社でがんばってるんだ」「社長がこんなダサい会社でやってられんわ」となり社員がやめていったりします。

そんなケースを多く見てきたので、せめて僕が社長の会社ではそういった理由で社員がやめないように行動しようと思ってます。

特に今の時代、いつどこで誰が見てるかわからないですし、悪いことをやっても得はありません。得があるならやるのかよという話にもなりますが、実際、悪いことをやって得をすることはマジマジのマジでないので、やっぱり悪いことはしないに限ります。ルール的な悪はともかく、マナー的な悪は、判断が難しいですが、少なくとも自分の中での正義はもって行動するようにしています。

19

会社のお金は社長のお金ではない

社長は会社の代表者ではあるのですが、好き勝手自由にしていいわけではありません。**社長＝会社、ではなく、会社という（法）人格で、弊社であれば〝バーグハンバーグバーグさん〟といういち人格として僕は捉えています。**

法人格のお金は社長が決済する権利はありますが、社長のものではありません。それを勘違いしている人がとても多いように感じています。

社長だからといって、**好き勝手にお金を使って私欲を満たして、ふだんの仕事で売上のひとつも引っ張ってこない人が、人の上に立てるわけがありません。**以前いた会社でも似たようなことがあったのですが、社員からすると「そんなに飲んでるんだったら給料あげてくれよ」とか、「このプロジェクトでもっと予算使わせてくれよ」という不満にも繋がります。たまに「節税のために使ってるんだ」という人もいますが、そんなことはありません。

納める税金は少なくなってもその分会社のキャッシュも少なくなります。得をするということはありません。1％でも未来に繋がるような飲み会ならまだしも、とてもそんな感じとは思えないことに会社のお金を使ってる社長は、きっとメンバーも離れます。

前述のようにメンバーは見ています。社長のお金と会社のお金は別だということをしっかり意識しつつ、どうせ使うならメンバーのために使うことを心がけたいものです。

20

社員は社員、ファミリーではない

今までの会社と比べてもウチの会社はメンバー同士かなり仲がいいように感じます。僕もメンバーといる時間は楽しいです。

個人的な想いとしては、純粋にみんなのことが大好きですし、尊敬もしてますし、幸せになってほしいと心から思ってます。ただ、それをみんなに伝えることはありません。なぜなら、**「幸せ」は概念的なもので人によって違うから**です。

それは働き方も同じです。バリバリ仕事をすることが幸せだと感じる人もいれば、プライベートな時間を充実させることを幸せに感じる人もいて、そのバランスはその人にしかわかりません。人の幸せを願うことは勝手ですが、「こっちのほうが幸せだから」といって、自分の価値観で勝手に押し付けるのは**とてもおこがましいこと**です。

社員に面とむかってマジなトーンで「ファミリーやん」「友達やん」ということは言わないですし、それを盾に仕事を依頼することはもちろんありません。だって、マジでファミリーみたいに扱ってくれるなら、「親だったらおまえがもっとがんばれよ！」「給料ももっとくれよ！」って不満をぶつけたくなると思います。

少なくともコミュニケーションの対応としてはそういった愛めいた言葉でメンバーに頼ることがないよう、意識するようにしています。

僕もそこそこキャリアが長いので今まで何人か見たり聞いたりしてきたのですが、「おまえを息子のようにかわいがってきたのに」「家族だと思ってきたのに」と言ってた社長に限って平気で嘘をついたり、お金に汚かったりしたので、僕はそうはならないでおこうと思ってます。

仮に、社員にお給与をいっぱい還元できたと思っても「給与アップしたで〜」とは言わず、しっかり成果やパフォーマンスなど評価ポイントを称えるようにしています。お金の価値観こそ人によって違うので、よりそう思うのです。

21

よくわからない夜の会合には行かない

社長になったら「どんな怪しげな会合に誘われるかな」と少し楽しみでもあったのですが、ぜんぜん誘われたことがありません。そもそも誘われないから行けないというのもあるのですが、仮にそういった席があったら僕の場合はちょっと危ないと思ってます。

お酒の席でお仕事の依頼を相談されたらついつい変な合意をとってしまいそうですし、そもそもメンバーや会社にとってメリットのない社長案件をやらされるときほど、社員にとってモチベーションが下がるものはありません。

弊社でいうと、パワーのあるライターとかもいるので「ちょっとＰＲに協力してよ」というような社長都合の依頼をされても、本人からしたらたまったものではありません。

めちゃくちゃ普通のことをいいますが、お酒は危険です（個人的にはなんで合法かわからないくらい）。

特に関係値が薄い人と飲むときは失礼のラインがわからないから、気を抜いていると怒らせてしまうこともありますし、粗相をしたらリークされる可能性もあるので、お取引先と飲むときは特に注意しています。

ただ、これに関しては社員時代も含め、成功体験がないだけかもしれません。少なくとも僕においては業界交流会みたいな飲み会や、夜の街に繰り出すような接待で仕事に繋がったことがあった試しがありません。

結局、関係値や信頼は仕事を通じてしか得られないというのがあるので、夜の会合に意味を感じてないのかもしれません。もちろん、人として何かを極めたり、特徴がある人と飲むのはとても楽しいです。例えば、某出版社の編集の方や、某ゲーム会社の社長と飲んだときは、チャレンジしている話とかクリエイターとの付き合い方のような話ができたので、とても楽しかったです。

22

世の中のよくわからない言葉には踊らされない

世の中にはよくわからない迷信めいたもの、例えば「家賃はできるだけ高いほうがいい」「お金は使ったら使った分だけ入ってくる」といったことを言う人がいます。ひょっとしたら真意は別のところにあるのかもしれませんが、言葉そのままに受け取る限りでは意味がわかりません。こういった**聞きようによっては少し胡散臭いと感じる言葉は鵜呑みにしないほうが良いです。ほとんどの場合、そんなわけはないと思っています。**

以前、弊社の税理士さんに会社の経営を褒められたことがあります。といっても特別なことをしてることはなくて、僕が社員として見てきた歴代の社長のほうがよっぽど手腕が奮ってたと思うのですが、褒めてくれた税理士さんに、「足し算と引き算でプラスになるように気をつけてます」といったところ、「足し算と引き算がそもそもできない社長さん、かなり多いんですよ」と真顔で返されたことがあります。

そんなわけなくない？とも思うのですが、足し算と引き算ができないというよりは、支出に対しての回収できるヨミが甘く、博打ばかり打ってるだけな気もしているのですが、色々な局面を迎えているうちにネジが外れてしまってバカになるのかもしれません。

そういう意味でも、何かあったとき、何かありそうなときに指摘しあえるメンバー、無謀すぎるチャレンジをしているときに止めてくれるメンバーがそばにいることはとても重要です。

23

関係値や貸し借りはあまり重んじない

ビジネスには貸し借りというのがあります。「今回、A社には貸しを作っちゃったから、どこかで返さなきゃ」というやつです。

たいていは本来の金銭以上のものだったり、リソースを譲受しあったときに発生します。**僕は貸し借りをできるだけ作らないようにしています。貸すことはあっても極力借りることはないようにします。**

ただ、これが難しいもので、その人にとっては「貸し」だと思ってたとしても、実は「借り」だと思われてたみたいな感じで、特にビジネスでは明確に「これは貸しですよ」とは明言しないため、ひとによって貸し借りの尺度が違ったりします。

裏を返すと貸し借りなんてものはそれだけ曖昧なものなので、弊社みたいな小さい規模でそれを念頭においてビジネスなんてやるものでもないということもあります。

弊社のお仕事にひとつひとつ予算をつけて発注いただいたら、全力でコンテンツを作ってお返しする——本来あるべき関係値とはこういったことの積み重ねのはずです。

ただ、ビジネスの世界には関係値だけで成り立ってるものも多くあります。逆に、関係値ができることを前提にしたビジネスの事例はほとんどありません。関係値を構築していると思っていた担当者が突然退職したり、先方の組織改編によって担当者が変わったり、といったことが起きるからです。関係値を構築したいから仕事を請けるといった行為は基本的にはやらないようにしています。

「次も発注するんで今回安くしてください」と言う人ほど、次の発注はないですし、「このお仕事を請けてくれたら、もっといい仕事紹介しますよ」みたいな話ほど胡散臭い話はないです。

ひょっとしたら中にはいい話も紛れてるのかもしれませんが、割合としては一握りだという感覚もあるので、そこで仕事の優劣をつけないようにしています。

24

人のサボりを褒めてあげる

社員がサボってる姿は決して喜ばしいことではありません。大事なリソースが無駄になっているということなので、普通に考えれば損です。特に繁忙期だったり、自分が忙しいときはなおさらです。

ただ、そんなときでもキレてはいけません。なぜなら自分もサボってしまうことがあるからです。

社長だからといってサボっていいわけではないですが、社長だからといってめちゃくちゃ仕事ができるかといったら全く違います。100m走のペースで10キロ走り続けられないことと一緒で全力で仕事をやり続けることは難しく、僕もサボることはあります。サボらなくても、例えば、体調が悪くて休むこともあります。そういうときに変に揶揄されないように人のサボりに寛容であるようにしています。

あと、もうひとつ。サボったくらいで怒っている社長って傍から見てるとおもしろいんですよね（嘲笑という意味で）。

社長とは一番陰口のターゲットにされやすいわけですが、どうせ陰口をたたかれるのであれば、スマートな陰口を言われたいものです。

会社を経営していると大なり小なりサボりやミスは起こるのですが、できるだけキレないように、逆にサボり程度であれば褒めてあげるくらいしてその社員をビビらせてあげたいものです。

25

健康が一番

僕は今まで色々な病気や怪我をしてきました。肉体的にも精神的にもわりと全部やったんじゃないかと思うくらい、何かしら病院のお世話になっています。

（人体的に）頭からいうと脳挫傷、頭蓋骨骨折、外傷性くも膜下出血、霰粒腫、鎖骨骨折、肉離れ、椎間板ヘルニア、鼠径ヘルニア、肺炎、腎盂炎、あとは言葉を忘れてうまく喋れなくなるという失語症とか発語障害とか、記憶喪失とか右半身麻痺とか。

仕事をやりすぎたせいか精神的に病んでしまって休職したこともあります。MRIに入った数とかレントゲンを撮った数なら日本でもトップクラスにはいるんじゃないかと思ってます。

……と、ついつい病気自慢をしてしまったわけですが、ここでいいたいのは**健康が一番だということです。**

例えば、外傷性のものであれば傷が塞がれば治ったということですし、何かの数値が収まっていれば完治したと判断できるのですが、精神的なものだと数字で判断できない部分も多く、治ったかどうかの判断がつきません。

人はついつい頑張りすぎちゃうもので、自分のキャパシティをわからず寝ないで頑張る人も多いです。無理して頑張っているとどこかしらにダメージが蓄積されます。病気になって倒れてからでは遅いのです。

そもそも、そうならないように日頃からリフレッシュすることを意識しつつも、会社としてはぜひそういったこともサポートできるような仕組みを作りたいと思っています。

会社の飲み会や社員旅行などがそういったことの解消に少しでもなればと思ったりしますが、必ずしもそうでない人もいるので、色々なメンバーにとって楽しいと思えるイベントを複数やるようにしています。

26

目標が「お金」じゃないことも全然ある

弊社は上場を目指しているわけでもなく、会社の時価総額を高めたいわけでもないので、なんだかどこに向かえばいいのかわからなくて、不安になったことがあります。目標があればそれはそれで楽なのですが。

そんな悩みをやんわりもっていたときにある投資家に「御社はそれでいいんだよ。職人ばかりいる寿司屋みたいなもので、とにかく目の前のお客さんに最高のお寿司を握り続けるだけでいいんじゃないか」といわれて、なるほどと納得しました。

今から考えると「弊社をたとえるのになんで寿司屋を出すかね」と思うのですが、それでも当時はその言葉にとても救われました。

仕事をしていく中で明確な目標がある人ばかりではないと思います。そして目標とかそういった類のもの、例えば、なりたい自分像とか、欲しい物、希望年収なんかはその時々その状況によって容易に変化します。

もちろん、目標がある人はそれはそれでいいですし、とてもいいことだと思いますが、**目標がないからといって決して悪いわけではなく、ない場合でも目の前のことを一生懸命にやってるというのも、良いと思います。**

だから、その場で一番うまい寿司を出す寿司職人のように、その場でベストを尽くしていくことがいいんだなと強く思いました。

未来は誰にも予測できないので、まずは、がむしゃらにやることをモットーに今日も頑張っています。あと、僕は寿司がとても大好きです。

COLUMN 2

将棋を指し続けてきて気づいた5つのこと

「将棋が指せると頭良いって思われるんじゃないか」「先が読めるようになってかっこつけられるんじゃないか」という安易な理由から、2016年頃から将棋をはじめました。日本将棋連盟公認の対戦アプリを使って今でも毎日、1日3局以上指しています（確認したらアプリだけで通算9000局ほど指してました）。アマチュア初段という段位を持ってはいるものの、今となっては強くなりたいというモチベーションはなく、もはや趣味というかある種の使命感としてやっているのですが、それでも学ぶことはとても多いです。ここでは将棋を経験したことで学んだこと、ビジネスに生きたことを書きたいと思います。至極ごもっともなことも多いかもしれません。

強くなるには「とにかく指すこと」が一番

棋力を高めるために、子どもに混ざって将棋教室に参加してみたり、将棋の本を読んでみたり、プロの棋譜を見てみたり色々やりました。当然、すべてが重要なのですが、中でも「将棋を指すこと」が一番大事だったように思います。

毎日将棋を指すというのは上達心というより、ほぼ作業に近いです。ただ、それでも少しずつ成長していってることを実感します。とにかくやってみる、何回でもやってみる、そうすることで展開の流れがわかったり、この戦い方をする人はこういう手を指しがちだなといったパターンが感覚的に読めるようになります。自分の打ち手の精度も高まります。

僕は今でも仕事の現場に立ちますし、そんなこと社長がやらなくてもいいんじゃないかということもやるようにしてます。合理的なやり方はあるかもしれませんが、一方で無駄なことなんてないとも感じます。これは言語化しづらいのですが、失敗や成功をとにかく重ねることで安定したパフォーマンスがでると実感しています。

ちなみに、ここ数年棋力アップに伸び悩んでいるのですが、こういったときはやり方や環境を変えないと上達しないのでそろそろ何かを変化させなければならないのかもしれません。

酔ったときの判断は最悪

お酒を飲んだときの将棋はめちゃくちゃ弱いし、飲んでると思われる相手との一局はとてもわかります。誰がどう見ても悪手を取ります。その逆は一切なく、そのくらいお酒は思考力を著しく下げるのだと思います。お酒の席で本音を言うことはあるかもしれませんが、良いビジネスが生まれた、良いアイディアが生まれたみたいなのはほぼないかもしれません。だからというわけではないのですが、僕は終電時間を越えてまで飲むことはここ数年ほぼありません。

思考時間が長いほど、最適の一手に近づく

良い手を指すには「よく考えろ」ということです。僕がやってる将棋アプリは、10分将棋（持ち時間10分）、3分将棋（持ち時間3分）、10秒将棋（1手の持ち時間10秒）というモードがあって、持ち時間を消化するとその時点で負けなのですが、残り時間によって一手の質が全然違ってきます。時間が少なくなってくると、（焦りからか）明らかに思考が浅くなります。普通の生活でもそうだと思うのですが、考えれば考えるほど（もちろん限度はありますが）色々予測できたりするので、リスクなども回避しやすいと思います。僕は特に即断できるタイプではないのでふだんの仕事においても時間をしっかりかけて熟考して決めるようにしています。

何を考えてるかわからない人は怖い

僕がやってる将棋アプリはCPU（コンピューター）と対戦するモードがありま

す。相手がコンピューターなので、差し手のペースが一定で、淡々と打ってきます。何を考えているかわからない打ち方をするのですが、それが一番の怖さだと感じます。以前、プロボクサーのインタビューで「対戦相手より野良犬が怖い、なぜなら何を考えてるかわからないから」と言っていた方がいましたが、それと同じように何を考えてるかわからない相手は怖いものです。そういう意味では、何を考えてるかわからないような行動をすれば相手から敬遠されるということでもあるかもしれません。

相手の段位でビビっちゃう

対戦相手の段位で勝手にビビっちゃうことがあります。いかに情報に惑わされてるかということです。これを僕の立場に置き換えると、社長だからといって勝手にビビってしまう人もいるというわけです。なので、僕は相手が僕の役職にビビらないようにできるだけ明るく振る舞って乱暴な言葉は使わないようにしています。

バズるコンテンツを作るための組織作りなんてものはない

第3章

弊社、株式会社バーグハンバーグバーグはその社名からもなんとなくおわかりいただける通り、おもしろいWEBコンテンツを制作している企画・制作会社です。〝おもしろいWEBコンテンツを制作する〟ということを心がけているので、逆に商品をストレートに解説したり、マジメなお仕事は一切請けません。

そんな弊社ですが、よく「おもしろいコンテンツを量産できる組織を作る秘訣はあるんですか?」と聞かれます。はっきりいってそんなものはありません。弊社のメンバーは発想力や企画力があって、おもしろい人たちが多く集まっているのですが（という身内褒めをすると、メンバーは嫌がるかもしれませんが）、それは会社のおかげというより、その人が養ったスキルであり会社とは関係ないところだったりします。

では、僕が社長として何に気をつけてるかというと、ひとことでいうと、「環境を整える」です。これに尽きます。こういったスタンスの会社なので、ルール作りや環境整備もふざけているように思われがちですが、多少に遊び心はあれど、基本的には真面目に考えるようにしています。

真面目に考える事が大事というよりかは、本当にクリエイティブの制作のことを考えているか、働きづらいものになってないか、という観点が大事です。

社内を整えるためのルールについては、前述の通り説明しましたが、本章では具体的に業務に落とし込んで、環境を整えるとはどういうことか紹介していきたいと思います。

27

メンバーのミッションを明確にする

弊社は制作会社といいつつも、（2024年現在）WEBメディアを3つ、YouTubeチャンネルを2つ、グッズ販売、イベント企画制作などいくつもの事業を運営しています。

小さな会社ですので、ひとりのメンバーが色々な役割を兼務することがあるのですが、それでもできるだけ配属先を明確化し、ミッションを明示しています。

弊社は制作会社ということもあって様々な職種があります。記事を書くライター、クライアント対応をして案件を進行するディレクター、メディアの更新スケジュールを組む編成や、動画に出る演者、事業を推進する人、他にも経理や総務などをするバックオフィスなどです。

以前、社員全員がクライアントの対応をしていた時代がありました。誰がどのクライアントを対応するか厳密なルールは決まってなく、「電話を出た人がその案件を対応する」という、普通の会社からすると少し考えられないような感じでやりくりをしていました。

この感じで運用すると、当然、社外とのコミュニケーションが苦手な人が対応をすることもあるわけです。苦手な人が、苦手なお仕事をやると当然ながらパフォーマンスが鈍くなります。

僕が入社当初、古株の社員が僕にこっそり「請求書ってどうやって作ればいいんですか？」と聞いてきたことがあります。

古株の人が当時新入りの僕にそんな初歩的なことを聞くのはもう向いてない以外の何ものでもありません。そういったこともあって、役割を明確にしました。

「企画やライティングなどクリエイティブに専念してほしい」「この事業のこの役割をがんばってほしい」「クライアント対応を一切しないでいい」「バックオフィス全般を見てほしい」といった感じで、ひとりひとり従業員レベルでミッションを明確にしました。

その人の得意な分野が明確であれば余計な業務を省いて得意領域に専念させたほうが知見も溜まりますし、何より苦手な仕事をしないで済みます。苦手な仕事は持って

いるだけで全体のパフォーマンスをも落とすことがあるので、苦手な仕事を与えない
ということは大事だと思ってます。

28

苦手なことはやらせない

僕がまだバーグに入社する前のこと。当時、取引先だった弊社に行ったとき、現オモコロ編集長の原宿という社員がこぼれんばかりのなみなみ注いだお茶をお盆に乗せて、遠くからそろりそろりとやってきて、僕に差し出してくれました。

たぶん、今までの人生で人にお茶を出したことがあまりなかったのだと思います。それでも湯呑にめいっぱいのお茶をいれて僕の喉を潤そうと気を遣ってくれたわけですが、明らかに「苦手なんだろうな」と思いました。

誰しも苦手なことはいっぱいあるものです。整理整頓、お掃除、経費計算などなど。人によってはそれが記事書きだったり、カメラ撮影だったり、人前に出ることだったりします。ちなみに僕は、電話をかけることが苦手です。ですので、前述の通り、そういったことはできるだけやらせないようにしています。

当然ですが、全員がクリエイターに向いてるわけではないですし、全員が事務作業ができるわけでもありません。「整理整頓なんて誰でもできる！やる気の問題だ！」と思いがちですが、決してそうでもなく、それも特殊技能だと思ってます。

向いてない仕事は極力剥ぎ取って、できるだけ得意なこと、気持ちが乗ることをやれるようにしています。

ここらへんは前段でも書いた内容と重複していますが、**とにかく苦手なものはやらせない。**

となると、今度は「誰もしない仕事（＝みんなが苦手な仕事）」というのがでてくるかと思いますが、**苦手なポジションを顕在化することで「これはこの人はできそう」「これができるメンバーを採用しよう」といったかたちで補うことで全体を強固なものにしていきます。**

それが例えば、税理士や弁護士など専門分野すぎる領域であれば外注などをして補ってます。

そういった感じで弊社はみんなの苦手な業務は、誰かの得意スキルで補っているということになります。そのせいか、年齢、役職関係なくみんながみんな敬意を払って仕事を依頼できているような感じがして、とても良い関係性が築けていると思います。

29

定例MTGをして、定点観測する機会をつくる

実は僕が入社するまでは、MTGというものはほとんど存在していませんでした。僕が過去に在籍していた他の会社では、日中はほぼMTGで埋まっていたりしていたので、そこから考えるとありえないことです。もちろん、MTGなんかしなくても事業がしっかり成長していればいいのですが、弊社の場合はそもそも目標数字も存在せず、成長してるかどうかもよくわからない状態でした。

というような状況だったので、事業部を作り、該当しそうなメンバーを配属させ、大まかでもいいので事業部の目標を設定しました。定例MTGでは、目標を達成するためにはどんな施策をやったらいいかという議論をはじめ、計画した施策はしっかり進んでいるかの進捗管理を主に確認しています。

こんなことをいうと「あたりまえなことをいうな！」と思うかもしれませんが、物事を予定通り進められることはとても難しいです。施策の実行なども考えれば考えるほどスケジュールが後手になりがちです。こういったMTGで毎週確認や報告する場を設けることでプロジェクトの停滞を防ぎます。MTGの前日まで自分の持つプロジェクトに関して何もやっていないこともしばしばあるのですが、それでも「次の日M

MTG中に突如開催された除菌ウェットティッシュチキンレース。下記ポストでは動画でも見られます。
https://twitter.com/omocoro/status/1222830609543786496

TGだし、仕事をやってないって思われたくないからちょっとでも進めよう」という感じで、**MTGきっかけで1ミリでも進んだりするので、みんなで定期的に観測するのはとても重要です。施策は1ミリでも進めば進歩です。**

といいつつも、ときには真面目な議論は2割、残り8割は雑談で終わることもあります。雑談というと、どのレベルの雑談なの?という感じかもしれませんが、「最近こういうことがあった」「ここのとんかつが美味しかった」といった感じのマジの雑談です。

また、雑談だけでなくそのとき思いついたゲームをすることもあります。このときは「除菌ウエットティッシュチキンレース」といって除菌ウエットティッシュのケースを滑らせて誰が机から落とさずギリギリを攻められるかというゲームをしたのですが、どういう流れでこういう流れになったかはわかりません。しかし、盛り上がったということは事業部のメンバーで楽しい時間が過ごせた＝気持ちが上がったということなので、それはそれで良しとしています。

これによる効果や、逆にこれによる業務時間の損失は、一旦は考えないようにしています。

30

権限を渡す

弊社は「事業部制」という感じで各事業のことはその事業部メンバーに任せており、すべての権限を預けています。施策の考案、実行、お金の使い方など色々な判断をすべて任せています。

社長といえど、把握もほとんどしないですし、施策には口出ししないようにしていますし、むしろできないようにしています。

なぜ社長である僕が口出しをしないかというと、その事業のことは事業部メンバーが一番考えていると思いますし、スピード感を持って気持ちよく進めて欲しいからという理由です。

施策に対して、誰でも好きなことを言える状態だと、ネガティブなことを言う人もいれば、特に深い意味もなく片っ端から懸念を言う人もいます。もちろん、危険に満ちたクリティカルな問題があれば潰す必要はあるのですが、そうでない限りはできるだけ前に進めてしまったほうがいい場合がほとんどです。なによりプロジェクトが無闇に停滞すると、リズムが狂って士気も下がります。特にチャレンジングなことをするときは勢いや流れが大事なので、少しくらい荒いと感じてても口出ししないように心がけています。

僕が以前いた会社でコンサル出身のメンバーが多い事業部にいたことがあったのですが、それぞれがそれぞれのやり方で進めたいから、戦略を練るのに躍起になって、毎日計画が変わり、結局前に進まないといった事象がありました。結局会議で議論ばかりして何も進まないのでこれは明らかにダメでした。まさに机上の空論です。

一方、某ベンチャー企業は一時期、新規事業の立ち上げ数をＫＰＩ（Key Performance Indicator：業績を評価し管理するための定量的な指標）にしていたということを耳にしたことがあります。

新規事業の立ち上げ数を目標にしたら、適当な事業が乱立するんじゃないかとも思うのですが、「成功する秘訣なんてない」と言われているように、結局のところ、事業に関してはやってみないことにはわからない部分がかなり多いので、**とにかくチャレンジし続けることが大事というのが業界の定石であるようにも感じます。**

31

数値目標はあまりつくらない

嘘みたいな話ですが、弊社には売上目標はおろか、数値目標がない事業部が多いです。

もちろん、僕が代表になって何年かは売上目標を設定していました。でも廃止にしたんです。それはなぜか。一番の理由は「売上目標を作っても誰も覚えてくれないから」です。

せっかく立てた目標をいつまで経っても何回言っても誰も覚えてないというのは結構悲しいので、完全に廃止にしました。一方で、数値目標を作ることで、ときにそれが悪影響を及ぼすことがあります。

これは僕が以前いた会社の話なのですが、ネットサービスは目標としてPVを掲げるのが一般的ではありますが、それによってPV稼ぎのためのゴミのようなコンテンツが量産されたり、ユーザーに親切ではないサイト設計になってしまったことがありました。また、キツめの売上目標があると広告主に迎合しすぎたり、胡散臭い案件に手を出してしまったりします。そうすることで短期的な売上は高まるかもしれませんが、中長期的に見たとき売上のためにやった行動が後々のブランドに悪影響を及ぼすこともありますので、そういった事態に陥らないように進行することが大事です。

かの有名な経営者が「売上はすべてを癒す」と言ってましたが、理解はできますが、一方では危険な言葉でもあります。極端な話、売上のためなら何をしても良いとなると、精神的にも肉体的にも破滅へと向かいます。

また、メディアだろうと、PVを追うことが正しいとは限りません。最終的には会社やサービスが健康であればいいわけですし、そのメディアをフックに他の事業にプラスに働けば十分価値があるわけなので、売上やPVといったいわゆる成長と直結しそうな数値目標は安易につけないようにしています。

では、何も目標がないかといわれるとそうでもなかったりします。

例えば、「毎日更新できるようにしよう」「月に一回施策を打てるようにしよう」といった現実的な目標を立てて、少しずつ強度をあげていきます。**大事なのは無理のない範囲で高い品質のものをつくり続けること**です。

何かの数字が上昇しなくてもそれがブランドを強固にする定量化できないことに繫がっていれば会社が成長するきっかけになります。なので、**目先の数値にはあまり囚われないようにしています。**

とはいいつつも、もちろん、売上も大事です。それでしか得られないモノがあるのも事実です。ただ、全員がその責任を追わなくてもいいと思っているので、そこは僕を含めたその数字を確認できる責任者の何人かが意識できればいいと思っています。

32

目標達成しなかったら「ざまあみろ」と思ってもらっていい

僕がこの会社に入社したばかりの頃です。

弊社はメディアを運営しているので、なんとなくこのくらいのPVをいきたいよね、という激甘な目標はあったのですが、達成しなくても凹むこともなく、達成するためになにかをやっているわけでもなく、ただなんとなく目指してるだけでした。

僕がこれまでいた会社ではきちんと目標数値を立てている職場が多かったものですから、そんなよくわからない曖昧な目標を追ってるチームの責任者に対して「目標達成しなかったらどう思うんですか?」と聞いたら、「ざまあみろと思う」と答えたんです。同じメンバーですよ? もっというとその人は会社の立ち上げメンバーで僕は当時入社したばかりの人ですよ?? なんというか普通に怖かったのでその場では「なるほど」とだけ答えて、一旦持ち帰りました。なんせ今まで言われたことがなかったような言葉でしたし、当の本人はマジっぽいトーンで言っていたので本当に怖かったのを覚えています。

ただ、よくよく考えてみると「そんなんでいいのかもな」と思い始める自分もいて、そんなこと言えるのは大したもんだなと感心に変わっていきました。

とはいいつつも、目標を未達にしてはイケないとも思っているので、そこからは毎週MTGをして、（数字を上げなくてもいいから）数字が下がってないかだけ定点観測して、少しでも伸びるように施策を考えて、目標を達成するためにチェックをして……ということをやりはじめました。ただ、**いくら頑張っても達成できないことも多々ありますので、それで達成できなかったのなら「ざまあみろ」と思う気持ちで気楽に頑張っています。**

会社から責任のある仕事を任されたり、期待をされてしまうとどうしても頑張りすぎちゃうことがあって、それはそれで良いことなのですが、あまり追い詰められないように気持ちをコントロールすることも大事です。

もちろん、目標を達成すると単純にみんな嬉しいのでできるだけ達成するように頑張りはします。

33

合わない人とはできるだけ仕事をしない

これはクリエイターに限らずですが、長く働いているとどうしたってそりが合わない人と仕事をすることがあります。どこで仕事をするかと同じくらい、誰と仕事をするかもとても重要で、環境だけでなく例えば上司が変わっただけでパフォーマンスが劇的に変わった人を何人も見てきました。やっぱり、この人に見られたらなんか良い仕事ができないとか、逆にこの人のためになりたいから頑張れるみたいなのってすごくあると思います。

では、合わない人と仕事をすることになったときはどうすればいいか？ まず、結論をいうと、僕にはわかりません。どうにもならないことも往々にしてありますし、僕が明確な答えをもっているわけではありません（僕もそう思われてきた可能性もあります）。

ただ、それでも働かなければならないということで、可能であればどうにかしたいものです。そこで僕の周りで見てきた事例をいくつか紹介できればと思います。

担当を変えてもらう

嫌な理由をできるだけ客観的にまとめて上司や人事部などに報告しましょう。苦手な人に異動してもらうか、自分が異動するか。この場合、自分が異動する可能性も高いですが、それでもメンバーが変わっただけで気持ちが楽になったり、周りとの意思疎通ができるようになることもあるので、パフォーマンスも高まる可能性もあります。そのメンバーとは気まずい雰囲気になるかもしれませんが、もともと合わなかったわけですし、そういったアピールはガンガンしていって良いと思います。

やめる

合わない人と仕事するのはとにかく大変です。結果的に成果が出にくいこともあれば、きっとストレスも大きいでしょう。その上で、前述のように担当を変えてもらうべく異動届や担当変更を打診しても聞いてもらえないこともあります。

ということであれば**いっそやめてしまいましょう。**転職活動は大変ですが、人が合わなかったり組織になじめなかったりすると自分の成長にも関わってきます。**短期的に見るとつらいですが、社会人は長距離マラソンみたいなものでもあるので、思い切って退職することも手だと思います。**

狂気性を出す

「目には目を、むかつくやつには狂気を」ということで、自分がヤバいやつだという演出をして、できるだけその人に何かを依頼されないようにしましょう。例えば、急に奇声を発してみたり、変な服を着てきたり。相手が敬遠しだしたらいわば勝ちです。少し極端に言いすぎましたが、**仕事内容でもキャラクター性でも独自のポジショ**

謎の婚活サイト「イケてるしヤバい男長島」のTOPページ。

ンを築くというのは大事なことです。

過去、バーグ社に入社する前、マジメに営業マンとして仕事をしていた一方で、いきなり「イケてるしヤバい男長島」という謎の婚活サイトを立ち上げたこともあります。話題になったこともあって、社内でも一目置かれるようになりました。きっと「こいつマジメなやつだと思ってたけど、実はイカれたやつなのかもしれない」「あまり喋らないけど色々なことを考えてるかもしれないからあまり指摘とかしないほうがいいのかもしれない」とか思われてたのかもしれません。その後、社内での接され方が明らかに変わったので、狂気性というのもときには大事なのかもしれません。

34

人のミスは怒らない

大なり小なり、メンバーがミスをすることはあります。そんなとき、僕はできるだけ怒らないように心がけています。

ここでいう「怒る」とは、人前で声を荒らげながら大きな声で注意するといった感じのことです。なぜかというと、僕がやられたら嫌だからです。自分にとって嫌なことはしないようにしているというのが一番の理由なのですが、もうひとつの理由としては常にいい雰囲気を保ちたいからです。

我々はクリエイターの集まりで、愉快な発想を醸成できる環境を整えておかなければいけないので、その真逆である負の感情というのは一番の敵です。なので、できるだけ楽しい空気で仕事ができるように心がけています。

理想はミスもネタとして昇華させることです。つい先日も、社員が（いつも通り）散らかした社内を社長自ら掃除をするという記事（https://magazine.cainz.com/article/163915）を作ってたのですが、カメラ撮影をお願いしていたメンバーと撮影をはじめようとしたら、さっきまで落書きだらけだったホワイトボードがめちゃくち

消してしまった落書きを急いで復元してる様子。

ゃキレイになってました。
「あれ、落書きがめちゃくちゃしてあったはずなのにな」と聞いたところ「すみません！消しちゃいました！」と言って、慌てて落書きを復元していました。本当は「なにやってるの！撮影する予定だったのに！」と注意したかったのですが、ちゃんと撮影ができるように必死に落書きを思い出して復元しようとしてたので、その様子を写真に撮って「落書きを復元してくれてます！」といった感じでポジティブな話題として社内に共有しました。

できるだけ人のミスもみんなで笑えるよ

うに昇華したいという思いがあります。これは僕だけでなく社内のメンバーもそういうマインドの人ばかりなので、逆に怒ったらダサいって思われるというのもあります。ミスや失敗に対して怒っちゃったら「そんなんで怒る変な人」と思われてしまって損をすることもあります。むしろ、そういう空気が蔓延していたら社内から怒号が聞こえることはありません。

ただ、マジで洒落にならないミスを誰かがしたら大声で泣いちゃうかもしれません。

35

ツッコミやすい雰囲気をつくる

我々のようなクリエイティブのコンテンツづくりには現場の雰囲気が重要で、できるだけ険悪な雰囲気にならないようにするというのは前段でお伝えしたとおりですが、加えて、できるだけコミュニケーションが活性化するとなお良いと思ってます。

そこで**邪魔になってくるのは「立場」と「年齢」です。**社長とか副社長とか執行役員とか、役職がつくと無意識で距離ができたり、年齢が上なだけで勝手に話しかけづらいなんてことがあるかと思います。社長の僕ですら、年上の社員には顔色を伺うことがあります。

なので、少なくとも僕に対してはできるだけ気軽に話してもらえるように日頃から発言量を多くしてたりします。よく人材は「把握」と「活用」なんていいますが、まず、僕がどのような人間かわかってもらわないと、僕の活用の仕方もわからないと思うので、できるだけ「長島」という人間がどういうやつなのかをわかってもらえるように、オンライン・オフライン両方で色々発言をしてたりします。コミュニケーションツールでできるだけ発言したり、気になったニュースを共有したり、日頃あったことを言ったりと、会話となるようなきっかけを作るというのが大事なのかもしれません。

オフラインでいうと、みんなでコンビニに行くということもよくしています。といっても、みんなそれぞれの仕事がありますし、ちょうど切りよくコンビニへ行けるタイミングだとは限りません。僕の場合「あーあ、コンビニに行きたいなぁ、誰かついてきてくれないかなぁ、今からお財布をもって、携帯ももって、靴も履いて……」といった感じのことを5分くらい言い続けて、長めのひとり茶番を入れることで「コンビニにひとりで行かせるのは可哀想かもな、じゃあ行ってやるか」といった空気を出して距離感を測ったりもします（単純にうざがられてるだけかもですが）。

人によっては飲みに行くとかもアリかもしれません。できるだけ日頃からおとぼけなことを言い合うことによって、できるだけ隙を作って、ツッコミやすい雰囲気をつくるようにしています。

そうすることで、和やかな空気を保ちたいですし、僕が間違えた判断をしたときに容易にツッコんでもらえるようにできると思ってます（社長であろうとすぐ間違えるので）。

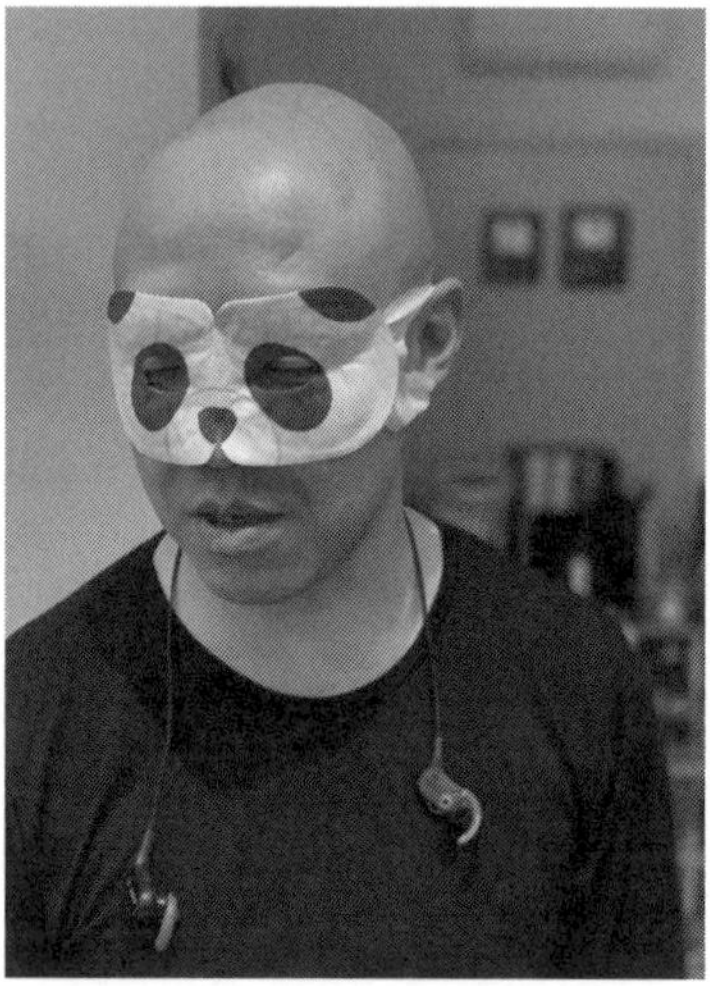

プレゼントでもらったアイマスクを着けていたら変質者扱いされました。

COLUMN 3

プレゼンでいますぐ使える（?）スライド集

ここでは弊社がクライアントに企画をプレゼンするときの資料を一部紹介します。企画内容をしっかり理解していただきたいと同時に、企画自体を楽しんでもらいたいという気持ちでプレゼンするようにしています。

プレゼンの流れは「会社紹介」「与件の確認」「企画背景」「企画名」「企画概要」「ネタ例」「おもしろポイントの説明」といった感じで展開させます。

よく資料作成では「ポイントを抑えて無駄なページは入れない」「結論から先に書いてわかりやすく端的に」といったセオリーがあります。弊社の場合、プレゼンを和やかに、そして楽しく進めるために無駄なページを入れることもあります。

ポイントとしては、

・1ページ1メッセージを基本として作成
・大事なところは色を変える
・「資料を楽しんでほしい」という雰囲気を出す

また、資料のフレーム部分にクライアントのロゴなどを挿入することで「この企画書は御社だけですよ」という感じをアピールできたりするかもしれません。

どこで引っかかるかわからないので、色々なところに仕掛けを作ることが大事です。

PRでの炎上ゼロ！

アリとナシの見極めを社内全体で管理し、炎上のリスクを極限まで減らしつつ面白いと思ってもらえるような企画を日々発信し続けています。

提案の場では必ずしも我々の事を知ってる人ばかりではありません。会社紹介の部分では強みをしっかり記載します。

与件の確認

※適切な画像がなかったため後頭部が異様な形になった長島を挿入しました

○○○○○をフックに御社サービス「XXXXX」の認知拡大を狙います！

企画資料では意味のない画像を入れることもあるかと思います。その場合はアイスブレーキングも兼ねてとことん意味のない画像を入れるのもいいかもしれません。

本資料

ぎゅっ

本提案資料は100ページほどございますが
ギュッとしたら4ページで済む内容となっております

資料スライドが長いと、聞き手はそれだけで疲れてしまいます。このような形でハードルを下げることで気楽に聞いてもらう雰囲気を作ります。

NOTICE !

提案上、愉快な表現をしている箇所が多くございますが、
実際にコンテンツ化する際は薬事や炎上観点には十分に注意しながらマジメにふざけていきたいと思います。

あまりにふざけた内容ばかりだと聞き手も不安になってしまいます。“マジメにおもしろいことをやっている”ということをわかっていただけるようしっかりとアピールします。

おもしろ広告会社の「営業しない」営業スタンス

第4章

弊社は「ゆかいなコンテンツ」を作る制作会社であって、広告の企画制作会社の一面もあるのですが、それなのに営業部隊が存在しません。

お客様から「おもしろい広告を作って欲しい！」といった問い合わせをいただいてはじめて（僕を含めた）メンバーが打ち合わせをしてお話を聞きにいきます。いわゆるインバウンド対応のみです。

営業部隊がいない理由としてはいろいろあるのですが、「営業の仕方がわからないから」というシンプルな事情がありつつも、それ以上に弊社のようなスタンスの会社が「営業をする」ということと相性が悪いからというのがあります。

弊社の強みのひとつとして「話題化するコンテンツを制作する」というのがあります。ときとしてライターやクリエイターのエゴを出さなければいけないことがあります。企業からのお仕事といって、「ここ、修正してほしいんだけど……」といった修正依頼を打診されても、コンテンツにおいて重要な部分は修正することができないことがあります。はたからみたら些細な修正依頼かもしれませんが、直接の拡散ポイントとなっていなくともこだわったシーンであれば修正が難しいです。

このように、我々はクライアントからの修正対応が難しいことが多いのですが、それでも、ありがたいことに広告の制作依頼は請けきれないほどの相談がきておりまして、みなさん、我々の「ノリ」を理解してくださっているので本当にありがたい限りです。

さて、ここでは、弊社がどのような感じで「ゆかいな広告コンテンツ」を販売しているのか、なぜそのやり方でニーズがあるのか、どのようなスタンスでお客様と向き合っているのか、打ち合わせや受注してからの制作作業でどのようなことに気をつけているのか、といった「おもしろいコンテンツの売り方」について紹介していきたいと思います。

36

ふざけられる仕事しか請けない

我々はおもしろいコンテンツを作る会社であり、それを得意としています。「おもしろいコンテンツを作りたい」という想いから、広告コンテンツだからといっていわゆるマジメな記事を作ることはしません。

「公式サイトに掲載されている商品紹介文を言っていただいて、あとはふつうに食べて美味しいと言っていただくだけでいいんです」と言われても、そういったマジメなことはせず、我々ならではの〝アクセント〟をひとつ乗っけます。

マジメに商品紹介することが単純に得意ではなく、それならもっと得意な人がやったほうが良いと思うので、そういった仕事は良い金額でオファーされても断るようにしています。過去にも、そういった相談をされたことがありますが、後ろ髪をめちゃくちゃ引っ張られる想いで、指をくわえながらお断りさせていただきました（お金は欲しかったのですが……）。

また「おもしろコンテンツしか作らない」といったスタンスが結果的に良いブランディングにもなっているように感じます。

思えば「マジメな受託仕事は断る」「ふざけられる仕事しか請けない」ってめちゃくちゃ変な会社ですし、そんな会社は他にないので他社との差別化も図れました。

特に昨今は各企業の宣伝担当の方も「いかにしてＳＮＳでの話題化を狙うか」ということを主軸においてＰＲを考えている会社も多く、「おもしろくてバズることがやりたいな」と思ったときに真っ先に弊社を思い出してくれることが多いのでブランディングという観点でもとてもよかったです。

マジメな仕事は請けないといいましたが、一兆円なら請けます。

37

ビジネスの味方をひとりつくる

弊社の広告商品は直接クライアントさまから発注いただくこともあれば、広告代理店から発注いただくこともあります。

弊社にはありがたいことに熱量の高い読者の方が多く、そんな方が企業の宣伝担当者だったり、広告代理店の営業担当にいることもあって、たまにそういうご縁をきっかけにご発注をいただくこともあります。「学生の頃からオモコロを読んでいてずっと一緒に仕事したかったんです！」といった感じで、この業界ではそんな動機で発注をいただくこともよくあります。

あるＷＥＢメディアは、超大手広告代理店にいる営業の方がそのメディアのことを猛烈に好きだという理由だけで、その営業さんひとりで何千万もの売上をメディアにもたらしてたという話を聞いたことがあります。考えてみたら至極当然の話で、めちゃくちゃ好きということはそのメディアのことを熟知しているというわけで、おすすめポイントや強みもユーザー視点で知っていることになるので、そんな方が営業してくれたらそりゃ売れるというわけです。

そういった熱量の高いパートナーとひとりでも出会えたら、売上的にはとても有意義です。狙ってなかなかできることではありませんが、それでも嫌われないような振る舞いだったり、独自性をもって発信することで、誰かファンになってくれてるかもしれない、そしてそれが色々な影響をもたらすかもしれないということを忘れてはいけません。

38

広告主のニーズを考える

広告主はプロモーション部だったり、マーケティング部だったりの部署が広告を発注するわけですが、広告を打つ理由はその部署、ひいてはその担当者によって違います。

広告と聞くと、「自社商品の認知をできるだけ広めたい」「購買に繋げたい」といったことが目的だと思いがちですが、必ずしもそうではありません。

これは僕が広告を営業する側も、広告を出稿する側も経験してきてわかったのですが、目的は必ずしも「商品を売りたい」ではないのです。ざっくりと以下のような理由があると考えています。

（A）ユーザーに会員登録や購入をしてもらいたい
（B）商品や会社の認知を高めたい
（C）SNSで話題になりたい
（D）とにかくおもしろいことがしたい
　（D―1）社内でおもしろいことを仕掛ける人って思われたい

（D—2）広告発注を通じておもしろい時間を過ごしたい
（E）おもしろい制作会社となにか一緒にやってみたい
（F）その他

これらA～Fすべての要素を総合的に見て発注という判断に至っているように思います。

広告制作会社や代理店は広告の効果（A、B、C）に固執してしまいがちですが、必ずしもそうではありません。

例えば、おもしろいことを仕掛ける人だと社内に思われたいという個人のために広告を発注する方もいたりして、最初は「会社のお金を使って私利私欲を満たしてるのかよ」とも思ったのですが、おもしろいことを仕掛ける人だと思われれば、上司からも注目を浴びて、その人のチームはある種の治外法権になって色々なしがらみから抜けられるといったこともあるかもしれません。そう考えると最終的にはその会社の為になってるのかなと思ってます。

また、制作工程を一度見てみたいからという理由で発注をいただけることもあります。僕らは基本的には撮影などの立会は禁止にしているのですが（撮影に立ち会われると緊張しちゃっていつもの感じでできないから）、それでも、企画提案からやりとりなどを通じて、僕らと関わりたいというケースもあり、そういったところから少しでも制作の雰囲気を感じて、ノウハウとして自社に還元するといった方もいらっしゃいます。

あと、すごいそもそもの話になりますが、そんなにマジメな宣伝担当ばかりではないというのもあります。

「いついつまでにいくらの予算を消化しなければいけないから、せっかくだから気になってる会社に発注しよう」「なんか退屈だからバーグさんに発注しよう」といった理由で発注をいただくこともあります（発注理由はともあれ、我々としては「おもしろいコンテンツをつくる」という一心でやるだけなので、そこの発注理由で我々の姿勢は変わることはありませんが）。

（A）（B）にコミットするのは広告としては大事ではあるのですが、制作会社や代理店としてもCPA（コストパーアクション）やCPI（コストパーインストール）といったいわゆる顧客獲得単価の効率性で商品を設計したら、実施金額を下げるか、コンテンツを大量に作ったりしてとにかく露出量を増やすかなどしかなく、結果としてリソースが破綻することになり、えてしてレッドオーシャンに飛び込むことになるのでやらないように気をつけています。ちなみにA～Fのうち、下にいけばいくほどその会社の独自性が求められてると思います。

39

自分たちの強みを明示化する

「おもしろいコンテンツだけをつくりたい」「マジメなことはしない」とはいうものの、実際問題そのスタンスだけでは受注することはできません。**クライアントが「発注しやすいように」「上長に決済を得られやすい」ような強みを洗い出しておく必要があります（それもできるだけ定量的に）。**弊社の場合は以下のような強みがあります。

いっぱい見られる

ＰＲコンテンツのＰＶ（ページビュー数）や再生数を算出。平均値を出しつつ、最低値も見せるようにして「最低でもこのくらいいくんだ」という数字を明示します。最大値を出すと変に期待させてしまうので提示していません。

拡散パワーがある

PRコンテンツのシェア数を算出。平均値、中央値を算出して、一般的なコンテンツ（他社）と比べていかにパワーがあるかを明示しています。

読了率が高い

外部の計測ツールを使って「このコンテンツがいかに熟読されたか」を計測。弊社の記事や動画は文量や尺が長いということもあって、「これ、長すぎない？　途中で離脱しない？」といったことも言われるので、そのカウンターとしても明示化しています。

ちなみに弊社コンテンツは読了率がかなり高いらしいです。読了率の計測基準はツールによって違いますが、コンテンツの文字数や画像数、ユーザーの滞在時間やスクロール速度などを踏まえて算出しているようです。

炎上がゼロ

広告コンテンツによる炎上数はゼロです。細心の注意を払ってリリースしていることもあって広告コンテンツにクレームを受けたことはありません。これを言えるだけで企業はとても安心できるかと思います。

態度変容の効果が狙える

第三者機関を通じてユーザーアンケートを行い、弊社コンテンツを通じて実際どのような態度変容があったかを計測。認知度や好意度アップにどのような影響があるか明示化しています。

広告担当者が「やりたい！」と思っても、実際それを上長に通す力がないと実施には至りません。ですので、そのフェーズになったときに、しっかりと実施いただけるようにこういった我々ならではの強みをまとめています。

これらのことは僕を含め一部のメンバーしか知りません。(正確にいうと共有した気もしますがクリエイターの面々はあまり覚えてないと思います)。

クライアントの窓口になる人がここらへんの強みを認識しつつも、**クリエイター側にはそこまで意識させず、あくまで「いつも通り」やってくれたらその効果が見込めるので、変に意識させないというのも大事**なのかもしれません。

40

強みを明示化できない場合は強みを探してみる

「自分たちの強みを明示化する」といいましたが、「そんなの見つけられたら苦労しないよ」という声もあるかと思います。

定量化はできずとも、定性的に自分たちのセールスポイントを押し出す代理店や制作会社もいらっしゃいます。以前「我々はNOと言いません。御用聞きに徹します」と言ってらっしゃる代理店さんがいらっしゃいました。とにかく言われたことはできるだけなんとか実現させますといったスタンスなのですが、実際、本当に実現できるかはさておき、「ガッツがある」と見せておくのはかなり有用ですし、十分強みになります。

実際問題、スケジュールがタイトで、どうしてもやらないといけないプロジェクトもある中で、「その険しい道も一緒についてきてくれるか」というのもとても大事です。今の時代だと、逆に珍しい感じもするので意外と競合も少ないかもしれません。

他にも、「〇〇というクリエイターと仲がいいんです」といった人脈をアピールしてる会社もいました。実際、他のキャスティング会社ではブッキングが難しい人でもその会社だとブッキングできるというのはとても強みではあります。何がアピールになるかわからなかったりもしますので、各社のＷＥＢサイトとか会社概要を見るのもおもしろいかもしれません。

自分では気づいていないだけで、実はすごく強みに見えることは多々あります。数値化できたり、明示化できることがベストですが、まだはっきりとはわからないという状態であれば、何なら自分にはできるのか、他には負けない強みをとにかく探してみることが大事かもしれません。

41

高い品質のコンテンツを作るための進行フローを確立する

弊社ではどうやって広告案件が受注されるのか、その後どのような感じで制作されているのか、またどこらへんに気をつけてるのかというのを実際のフローに沿って書いていきたいと思います。

まず、弊社の場合、広告コンテンツの受注～実施までの流れは以下のようなサイクルで行っています。

①問い合わせ対応
②ヒアリング
③企画立案（ネタ出し）
④提案
⑤受注
⑥制作
⑦掲載&告知
⑧レポート

先に記載した通り、弊社はいわゆる「営業」はしないので、いかに①問い合わせ件数を高めるかが大事になります。一般の会社であれば、⑧の精度を高めていかにリピートしていただくかがスキルのみせどころなどともいわれてますし、①以前にとにかく営業をしまくるといった会社もありますので、ここらへんは本当に企業によるので、あくまで弊社のやり方ということでご参考いただけたらと思います。

①問い合わせ対応

企業からの問い合わせがきたら社内の担当者を決めてメールで対応します。以前は社員みんなで順番にクライアント対応をしていた時代もあるのですが、外部とのコミュニケーションということで得意・不得意もありますので、今では対応するメンバーを絞っています。

メンバーを絞ったもうひとつの理由として、ライターなどのクリエイター担当と窓口担当は同じ人にやらせないようにしています。これはライターが直接担当しちゃうとクライアントに直接何か言われたときに断れなくなって、ついついコンテンツに反映してしまい、ときとしてクリエイティブ能力にブレが発生するおそれがあります。なので、ライターには基本クライアント対応をさせないようにしています。

また、人によっては「ここの業種が得意」「この業界は知見がある」といったこともあるので、そういった担当者とクライアントの相性なども踏まえて、決めるようにしています。


ちなみに社長である僕もここで対応することはしばしばあります。先述の通り、自ら現場にでると「社長が対応してくれてる！」という感じで本気度が増す感じになるので、幾分受注にも繋がりやすいこともあるのでラッキーです。

気をつけていることとしては、「マジメに対応する」ということです。弊社ではふざけたコンテンツを制作するということをウリにしているわけですが、クライアントとのやりとりはマジメに対応します。

「マジメに」というとなんだかおこがましいのですが、なれなれしいメールを送らないとか、返信はしっかり返すとかその程度です。制作物もふざけてるのに担当者もふざけてると信頼に関わります。

「こいつバックレそうだな」「なんか不安だから発注するのやめよう」と思われたら元も子もないのでそこは安心して発注いただけるような対応を心がけてます。

メールを返信するときは弊社の広告資料を送るのですが、その際「参考になりそうな過去事例」も送るようにしています。クライアントによっては「この会社さんで効果が出てるのであればウチもやるか」「あの会社がやってたら安心だ」のように、判断材料にもなります。

② ヒアリング

この後に控える企画出しでいい企画がでるように、できるだけしっかりヒアリングをします。対面でオリエンテーションをすることもあるのですが、聞ききれないところがあったり、言った言わないと揉めることもあるので、ヒアリングシートといったものを作ってそれに入力してもらっています。

ヒアリングシートではこのような項目を聞いています。

- 広告主名
- 商材名（正式名称）　※表記に間違いがあると失礼なので、小文字／大文字なども含め正式名称を書いてもらいます
- ブランドサイトURL
- 価格（税抜）

・ターゲット
・発売日／リリース日
・商材の特長
・PR予算
・実施目的
・実施背景（例）新商品が発売するため、大規模キャンペーンを行いたい、暇だから
等
・スケジュール　※確認に何営業日掛かりそうか等も記載いただく
・おすすめしたいポイント
・クリエイティブ温度感（どの程度ふざけていいか）
・NGポイント

③ 企画立案（ネタ出し）

案件の特性を見つつ、企画力があるメンバーを複数人集めて企画会議を行います。以前は社員ほぼ全員でネタ出しを行ってた時期もありました。そのときは、3チームくらいにわかれてそれぞれのチームが企画をプレゼンしあったりして企画を作ってました。

④ 提案

企画を資料にまとめて提案します。

弊社の場合、ここで大事なことは**いかに「おもしろい」と思わせられるかの一点の**

みです。テキストだけで説明されたりしても伝わらないこともありますので、なんでこの企画をやろうと思ったのかというフリから、ネタ例、おもしろいポイントなどを説明します。

ここでせっかくご発注いただいたのに、コンテンツを作ったら「イメージと違う！」となったらお互い不幸なので、できるだけ着地イメージをすりあわせることが大事です。

とにかくおもしろいと思ってもらいたいという一心で作るのでときには100ページくらいになります。ちなみに完成した企画資料はメンバー内で確認して認識にズレがないか事前にチェックします。

⑤ 受注

受注に至ったらその旨をメールで証拠として残します。**法的に効力があるかはさて**

おき、発注書でもメールでもとにかく証拠を残すことが大事です。

また、可能であればその企業に信頼があるか確認（与信チェック）をすると、なおいいです。大手企業であれば、だいたい問題ないのですが、あまり知らないような会社などは資金回収リスクの観点でも「ちゃんとお支払いできる体力があるか」というのは調べたほうが良いです。

調べ方は第三者機関（帝国データバンクや東京商工リサーチなど）の審査に掛けるとか、ネットで簡単に調べてみるなどです。

「お金が振り込まれないことなんてあるの？」という声も上がりそうですが、実際問題あります。先方の担当者のミスで振り込まれないことも稀にあるのですが、そもそも、資金繰りが難しいという理由で振り込まれないこともあります。

これに関していうと、過去に痛い目をみたことがあります。以前いた会社で部下が受注した案件があって、掲載も完了して、いざ入金をチェックしてみると振り込まれてなかったことがありました。

確認すると、「明日には振り込みます」「もう3日待ってくれ」「やっぱりあと1週間待ってくれ」といった感じで振込を先延ばしされて雲行きが怪しくなってきました。

そこで上司である私と部下で毎日そこの会社に行って「少しずつでもいいから振り込んでくれ」ということを伝えて、数万から数千円ずつ返してもらったのですが、結局会社ごと行方不明になってしまい資金回収をすることができませんでした。

だいぶまろやかに書いてますが、実際はかなり精神がすり減る事案だったので、こういうことになる前に、取引相手はよく確認してからやるべきです。それ以降、与信が低い会社と取引をする場合は、先払いでお支払いいただいたり、代理店に間に入ってもらうなどで解決しています。

⑥ 制作

受注した企画を制作していきます。ここで大事なことは**コンテンツ部分をクライア**

ントに口出しさせないということです。我々にお声がけいただくクライアントさんはありがたいことにすごく自由にさせてくれるのであまりいないのですが、たまに「こっちのほうがおもしろい」「こういうオチにしてくれないか」と言われることがあります。クリエイティブ制作においては役割がすごく重要です。この場合、コンテンツ部分は我々の担当なので、よっぽどのことがない限りそこに口出しさせるべきではありません。僕らがレストランに行って、「これ、もっと塩入れたほうがおいしいよ」と言わないように、「おもしろいかどうか」感覚による指摘は受け付けないようにしています。

また、「撮影に立ち会いたい」という方もいらっしゃいますが、こちらも基本的にはお断りしています。演者やカメラなどのスタッフは身内で固めたほうがリラックスできてスムーズにできますし、広告的なセリフや注意点などは予め十分に打ち合わせをしていればだいたいのことが解決できます。百歩譲って撮影現場で空気を和ませてくれるならいいのですが、遅れてきてふんぞり返ってみて、弁当だけ食べて帰るクライアントさんもたまにいて、そういったときは現場の士気も落ちるので、であればいって、立ち会わせないようにしています。

ここらへんは広告業界の慣習だったり、クライアントに何か物申すことが怖くて聞き入れてしまいそうですが、コンテンツの品質だけでなく、チームメンバーの信頼的にもこれをやるかやらないかでだいぶ違ってくるかと思います。

とはいうものの「どうしても修正してほしい」というのがあったりします。例えば、広告部分の文言であればそれは先方の方針もありますし、表記内容に関しては薬事や景表法なども関わってくることもありますので修正します。ただ、コンテンツ部分で本当に本当に妥協できない修正依頼がきて、交渉してもどうしようもならなかったときは、その場で制作を取りやめたりします。

我々としては、作ったコンテンツは胸を張ってしっかり告知をしたいので、このようなことがないように強めに石橋を叩きながら進行しています。

⑦ 掲載&告知

実際掲載されたらクライアントへ掲載連絡をします。あわせてSNSなどで告知もします。企業アカウントや個人などでも告知をすると、クライアントから「作って終わりじゃないんだ!しっかりユーザーへ届けるところまでやってくれてる!」というのも伝わりますので、心情的な意味でも良いです。もちろん、効果観点でもやったほうが良いと思っていて、制作会社は作って終わりのところも多いですが、ユーザーへ届けるというところまでやると、広告としても高い効果が見込めます。

⑧ レポート

公開から期間を区切って数値をまとめてレポートします。

広告物は制作して終わりではなくSNSなどで発信することも大事。

弊社の場合、PVや滞在時間など定量的な内容をまとめつつ、SNSでの言及や総括的なもの（過去実績や競合実績と比較してこれだけよかった、これだけ悪かった等）も記載します。

特にSNSでのポジティブコメントはクライアントも意識するところですし、良かったところ悪かったところをベースに会話することで、「であれば、次はこうしましょう！」といった感じで次回の実施にも繋げられやすいのでとても大事です。できるだけリピートで実施いただけるようないわゆる「お得意さん」が増えると定常的な売上も見込めるのでいいです。

また、内側の話としては関わった制作メンバーで反省会もします。これだけやっていても**100%最高に、完璧に進行できたというのはあまりなく、どこかしらで改善ポイントや反省点は生まれます。**そこをざっくばらんに言い合うことで、できるだけ気持ちよく良いものが作れるよう、またそれを**マニュアル化することで、できるだけチーム内でノウハウが溜まるようにすることも大事です。**

42

企画のおもしろポイントを理解する

以前は、企業からのＰＲ案件があったら、社員全員で企画出し会議をしていました。今はもう少し少人数で行っているのですが、それでも当時のネタ出しはとても良かったと思います。

なぜなら、クリエイター、デザイナー、エンジニア、企業の担当者とやりとりしているディレクターなど職種を問わずみんなで企画会議をすることで、実現性やＮＧラインなども含めて一気に考えることができたからです。

また、企画の過程なども含めて会話するので「この企画のどこがおもしろいのか」「拡散ポイントはどこか」といったことも肌感覚としてわかってくるのでクリエイターとディレクターのアウトプットイメージがすり合わせることができるのもいいところです。

以下、当時のネタ出し会議の流れを記載します。

① 要件を共有する

クライアントと実際にやりとりしているディレクターからPRする商材の情報を共有します。その商品のPRポイントはもちろん、予算やスケジュールなどの基本的な情報から、クリエイティブの温度感（どんだけふざけていいか）や、NGポイント（各種権利関係、公序良俗にはもちろん配慮しつつも、ブランド特有のNGポイントなど）を共有して、できるだけネタ出しがしやすいように情報を整理します。

②チームにわかれてアイディア出しをする

全員でネタ出しをするわけですが、全員が1テーブルでネタ出しをするわけではありません。だいたい20名くらいのメンバーがランダムで3つのチームにわかれて、チームごとにそれぞれ色々な角度からアイディアを出し合う会議をしていきます。これを約1時間ほど行います。

③ 企画案をプレゼンする

②で出た案の中から実現度や企画性等をふまえて厳選した企画を、社員の前で発表します。企画の内容だけでなく、実現性やおもしろいポイントなども説明しながらプレゼンします。

④ 企画案を決定する

企画の実現性や話題化などの観点から自分がいいと思った企画に1票投票します。

といった感じです。弊社の制作の中でもキモとなる時間で、脳を使う作業で結構な工数を掛けるということもあって疲れる時間です。

ですので、少しでもポジティブに参加してもらえるようにするために、一番投票が多かったチームに1ポイントを付与するなどポイント制にして、月内でポイントを稼いだ上位数名が少しばかりのご褒美プレゼントと、少しばかりの豪華なランチを食べることができるという特典をつけています。

こうやって企画をたくさんの頭を使って練ると、さまざまな観点から企画を組み上げることができ、早い段階でブラッシュアップができるので効果的です。

また、ネタ出し中に気をつけていることがあるとするならば、一生懸命話しているプレゼンを遮って否定的な意見を言うことや、再現可能性の追求はしないようにしています。

まずはアイディアを出してくれたチームをリスペクトし、どこが良かったのか、実際に運用するにはどうすればいいか、といったポジティブな方向に頭を動かすようにしています。**前向きに話し合うことが良いコンテンツを作る上でとても大切です。**

ネタ出し会議をしている様子。

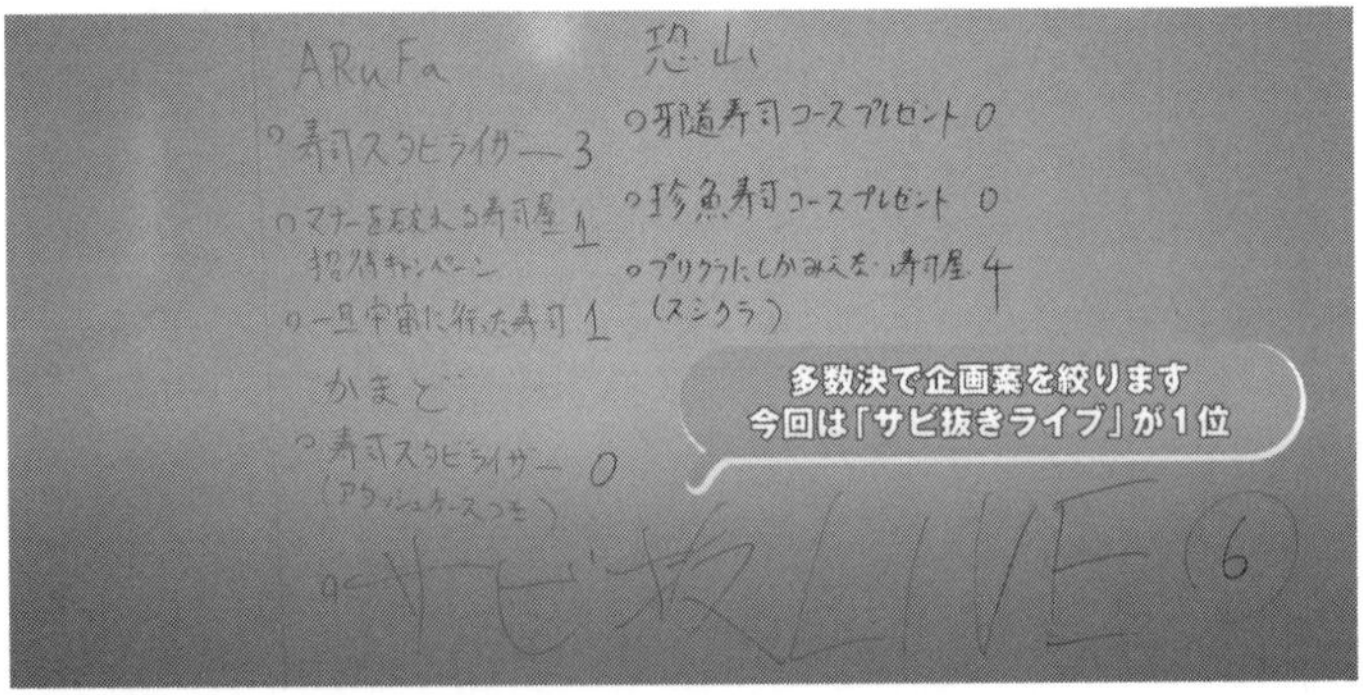

プレゼン後、企画案を決定する様子。下記リンクから動画でもご視聴いただけます。
https://www.youtube.com/watch?v=Wk3FHeHGp20

43

失注報告を盛り上げる

会社としては失敗することもとても大事なことだと思っています。**失敗によって課題が見つかってより良いものが作れたりするので、失敗しても隠さずに報告してその失敗事例を溜めることが大事**です。

僕が入社して間もない頃、クライアントから問い合わせがきて、要件に沿って企画を立案して提案したはいいものの、受注にならなかったことがありました。僕らが営業したわけではなくクライアントからお声がけいただいて成約にならないというのは、どこかで期待のズレが生じたということです。

担当に「なんで失注したの？」と聞いても「わかりません」という回答ばかりで、失注=失敗という印象があるせいか、思うように理由を聞き出すことができませんでした。

そこで、失注は「悪」ではないということをみんなに説明して、「失注報告スレ」というスレを作りました。

最初はそれでも報告する人も少なかったのですが、次第に盛り上がってきて「失注しました！！」「僕もです！！！」といった感じでわんさか報告がくるようになりました。

「無事、失注完了しました！」と、何か誇らしげに報告をする人もいて会社にとっては良いことではないのですが、失敗から学ぶことも多くあるのでそういった報告もしやすい環境を整えることが大事です。

44

相手がクリエイターだろうとそうでなかろうと、キムタクのような対応をよく「個性が強いクリエイターとうまくやりあうコツってあるのですか？」と聞かれます。

僕がクリエイターの方々とうまく付き合えてるかはさておき、自分にとって尊敬している方と同じような感じで丁寧に接するようにしています。ちょっとわかりづらいでしょうか。めちゃくちゃ平たくいうと、「キムタクのように接する」です。

僕はキムタク（木村拓哉さん）がとても好きです。かれこれ30年近くファンで、高校生の頃はファッションを真似したり、ドラマを見まくったり、ラジオに投稿したり、今はファンクラブに入ったり、インスタで動向をチェックしたりするほど好きです。木村拓哉さんが所属する事務所のグッズ売り場に並んだこともあります（男性比率０・１％くらいでした）。

仮に、万が一木村拓哉さんにモノを依頼するときは、丁寧な口調で、条件面（金額やスケジュール）をしっかり確認した上で提示して、依頼内容の自由度などを伝えるかと思います。木村拓哉さんほどであれば、自由度があればある分だけ応えてくれる気もするので、基本クリエイティブ部分には口出ししないようにすると思います（そもそも木村拓哉さんに演技指示することがおこがましいです）。また、いくら好きだからといって急に距離を縮めることもしないと思います。ましてやプライベートな質問などはしっかり関係値が築けるまでしません（関係値があってもしないかもしれません）。

クリエイターと接するとき、いつも「そんな態度、キムタクにはしないよな。じゃあもっと丁寧にいこう」といった感じで自分の中のキムタクに聞くようにします。

また、クリエイターとまではいかなくても、強い個性の方というのは少なからずいるかと思います。そういった方にも基本的には同様で、**相手に敬意をもって決して舐めないこと。丁寧に会話するということをすれば、少なくともいきなり怒ってくることはありません。**

よくＷＥＢサービスの会社ではエンジニアの立場が強く、（その上自分もエンジニアの知識がないということもあって）そういった職種の方との会話に困ってるという話を聞きます。ただ、そういったときも、依頼内容をできるだけ明確に、目的から話しつつ、なんで依頼してるか、いつまでやってほしいかなどを端的に伝えることが大事です。

以下、参考として、依頼の仕方を例文としてまとめてみました。

> ○○の部署の長島です。
> 今、△△分ほどお時間よろしいでしょうか。
> ××のプロジェクトの件でこういったことをやっていただきたいと思い相談にきました。
> なぜ依頼させていただいているかというと……。
> 他の業務もあってお忙しいかとは思いますがいついつまでに仕上げていただくことは可能でしょうか。
> もし、難しければ現実的なスケジュール感もお聞きできればと思ってます。

怖い人だと焦ってしまうこともあるので、事前に台本を作って臨むのもいいかと思います。

「会話ひとつでそんなに気を遣わなければならないの？」と思う方もいるかもですが、もうこれ以上はないというぐらい気を遣ったほうが良いと思います。

一発の印象で依頼先の精度が変わることもありますので、であれば、こういった大事なときは入念に準備しておくべきだと思います。

45

定期的にクレームを思い出す

僕がいるWEB業界は特にかもしれませんが、クレームを受けることはほとんどありません。誰も怒りたくないですし、怒るだけでカロリーを使うのでクレームをするくらいだったら縁を切ったほうが早いというのもあるかもしれません。

特に今の会社に入ってからはクレームを受けた記憶はないです。ひょっとしたらこの人たちに怒っても仕方ないと諦められてるだけかもしれませんが。それでも以前いた会社でクレームを受けたことはあります。その中でも僕が印象に残っている3つのクレームを書きたいと思います。

準備不足から生まれたクレーム

社会人になってはじめて行った営業先で、僕が用意した提案内容があまりにも僕の頭の中に入ってなさすぎて、ぜんぜん話せずにいたら、クライアントがめちゃくちゃ激怒しました。せっかく貴重な時間を頂いていたにもかかわらず、資料の中身が頭に入ってないとは何事か、理解もしてないとは何事かといった感じでめちゃくちゃ怒られました。

僕もWEB業界に入りたての頃で、正直自分が何をやっているかもわからない、業界のルールもわからない中、「これも勉強だから」と野に放たれて行ったはいいものの、緊張もあって、何もできずにとにかく怒られました。

今でも鮮明に覚えているのですが、それ以来、「もうこんな怒られるのは嫌だ」と思い、**提案時は入念な準備をするようにしています。**

レポートを送らなかったことで生まれたクレーム

めちゃくちゃ大手のクライアントさんから会社としても一大プロジェクトとなるような発注をいただき、その案件を任されたときの話です。

パワーバランス的にもクライアントがとても上で、いかなるミスも許さないめちゃくちゃ怖いオーラを出しまくってたクライアントだったのですが、制作～公開までなんとか終了し、あとはレポートを報告するのみとなったとき、そのレポート業務を怠って2ヶ月ほどレポートせずにいました。

僕も忘れてたわけではなく、なんとなく「もういいかな」と思ってこのまま気づかないだろうと思いやりすごしてたのですが、いきなり社長から電話がかかってきて「おまえレポート出してないのか？ XX社さんめちゃくちゃ怒ってるぞ！」「会えなくてもいいからすぐにその会社に行ってこい！」と言われ、すぐにレポートを作ってその会社の前に行き、担当の方がくるのを待ってました。結局その日は会えずに、後日色々な大人を引き連れて謝罪をしに行きました。

「たかだかレポートくらいで……」と思う方もいらっしゃるかもしれませんが、レポートも成果物のひとつですし、レポートの精度はもとより、やはり成果物が提出されていないということはこちらの落ち度です。それ以来、「もうこんな怒られるのは嫌だ」と思い、どんなに遅くなってでもしっかりレポートまで提出するようにしています。

先方の意見を受け入れなかったことで生まれたクレーム

これは僕が直接受けたクレームというより、メンバーが受けたクレームなのですが、そのメンバーはクライアントからの相談事項を、「難しいです」「できません」といって二言目にすぐに断っていました。

そしたら、「本当に確認してるのか！その返信はあんまりじゃないか！」といった感じでクレームを受けました。たしかに、逆の立場にたったとき、すぐに断られると少し感じが悪いかもしれません。

これが例えば「一度確認させてください！」「ちょっと確認したのですが、こういった理由で難しかったです……。僕はお気持ち理解できるんですが、本当にすみません！」といった感じで少し情を乗せるだけで先方の印象も変わってきます。

相手も人間で、人間同士のやりとりです。相手の心象次第ではありますが、こうい

った経験もあるのでできるだけ思いやりのある対応をするようにしています。

ここまで長い社会人経験で色々なクレームを受けてきたわけですが、今となっては良かったと思ってます。僕は怒られるのがすごい嫌なので、今後の人生で二度と怒られないようにするべく、定期的にクレームを思い出しては仕事を進めています。

怒り方は違えど、クレームポイントはある程度決まっています。できるだけ何回も怒られないようにみんなで気をつけていきたいところです。

対談

長島健祐
NAGASHIMA KENSUKE

けんすう
KENSUU

コンテンツを作る以外の95%が重要

インプットとアウトプット

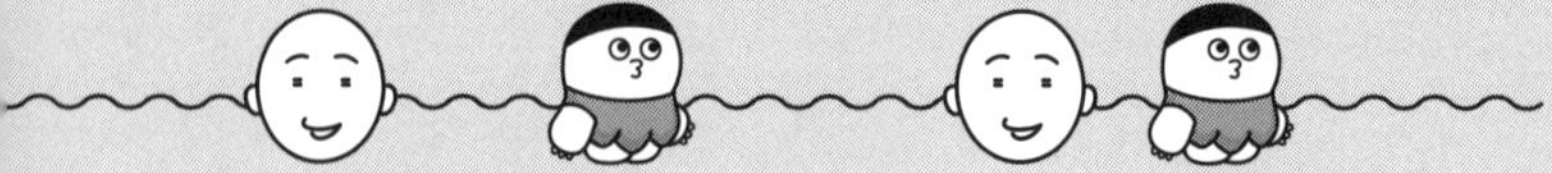

久しぶりです。ご活躍は耳にしています！

いや、むしろこちらのセリフですよ。今日だってお会いできることが嬉しくて。けんすうさんは、僕が前にいた会社の社長だったんですが、こうやって対談できるのは光栄です。

こちらこそありがとうございます！バーグハンバーグバーグの盛り上がりや注目度がどんどんあがっていってて、昔からのファンにとっては、とても嬉しい気持ちです。

けんすうさんはこういうこと言われるの嫌がるかもしれないですが、これまでのキャリアで、けんすうさんから受けた影響がかなり大きいんです。だから今回対談をお願

いしました。喋り方も、もともと僕ってこんなにやわらかな喋り方じゃなかったと思うんですが、これもけんすうさんの影響かもしれないです。

たしかに、昔はデーモン閣下みたいな感じでしたからね。

僕の見た目でデーモン閣下みたいな話し方してたらめちゃくちゃヤバいですね。けんすうさんの影響を受けてよかったです！　いや、しかし、本を書くのって大変ですね。けんすうさんって毎日ブログを書いてたり、本を書いてたりしていますが、めちゃくちゃ筆が速いじゃないですか。それって昔からなんですか？

僕、頭の中で原稿を書いてからタイピングする、という流れでやっているから、速いんじゃないかなあ。タイピングをしているだけのイメージに近いです。

すごい！　ちなみに、けんすうさんって、アウトプットするときに意識的にされてることってありますか？

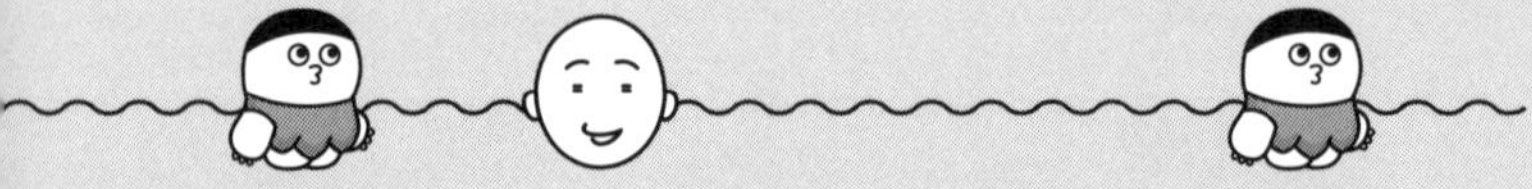

思考法を記事形式にしてます。世の中には色々な思考法があって、人それぞれ、自分の頭の中での考え方って違うと思うんですね。例えば、独り言をひたすら呟くタイプもいれば、架空の誰かに話しかけてるタイプもいます。僕の場合だと、本当にブログ記事の文章のような形で思考しているんです。この形式で考えていると、思考がまとまったときに、自動的に頭の中で記事ができてるわけです。だから、書くのが速いのかな、と。

なるほど。ライターって原稿遅れがちな印象あるけど、自然にアウトプットできているならすごいですね。

頭の中でアウトプットするイメージが無いと、実際に書けないんですよね。一方で、頭の中の思考法が会話形式の人だったら、普段の会話がうまいと思うんですが、僕は話すときに、全然整理して話せないんですよね。なので、一長一短ではあります。

他の思考法の人が、考えたことを記事にしようと思っても、別のプロセスが発生するので大変だから、その差かもしれないです。

アウトプットと同じぐらいよく聞かれることといえば「インプット」についてです。
ちなみにうちの社員で、「インプットなんてない」って言ってるメンバーがいます。
よくよく聞くとアウトプットするためにインプットしているとのことで、インプットをしようと思って何かをやるみたいな感じではないみたいです。

僕もその考え方に近いですね。完全にアウトプットありき。この場で、この話をしたいから、この話を調べる、という手順ですかね。インプットのためのインプットをしても、やっぱり頭にあまり残らない事が多いんです。

映画監督でも漫画家でもよく聞く「見せたいシーンが先に出て、それに合わせてシナリオを作る」感覚に近いかもしれないですね。

そういえば、僕らが同僚のとき、カズさんっていうマーケティングの分野で優秀な人がいたんですけど。その人が、「長島さんがやりたいことってありますか？やりたい事さえ教えてくれたら、後付けで数値を出して実施できるようにするんで、なんでも言ってください」って言ってくれたんですよね。マーケの人から、「後付けでどうとでもできる」と断言してもらえたことはなんかおもしろかったです。

そのアウトプットの仕方のほうが、はるかに身につきますよね。あと、意識しているのはインプットするときに「いかに情報を削ぐか」です。今はというと、映像を見る時間がないのでほぼ見ていません。映画を観ても、「面白かった」ぐらいしか出てこないし。

情報があまりに多い時代なんで、どの情報を取らないか、というほうが大事かなと思っています。情報ってプラスで取るのはすごく簡単なんですけど、そればっかりやっていると、パンクしちゃう。

僕も後付けのインプットのタイプでして、コンテンツを作る会社を経営しているのに、本も漫画もあまり読まないんです。胸張っていうことではありませんが。

数年前、『刃牙』という漫画の権利を許諾していただくためにさすがに無知だとまずいので刃牙シリーズを全部読んだんですよ。そしたらライセンスの担当の人に「長島さん、刃牙のこと全く知らないって記事で見ましたよ」って言われて焦りましたね(笑)。

僕も仕事することで、この仕事を進めるためにはこの情報をキャッチアップするという風に、そのときになって初めて情報を取りに行きます。仕事を進めるために、インプットをしてるみたいな感覚に近いです。

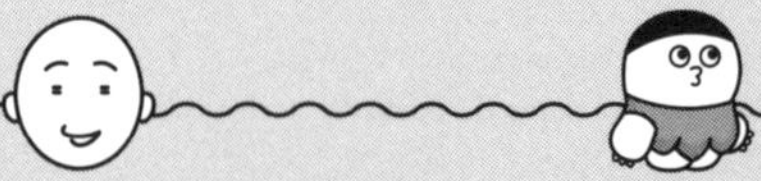

コンテンツを作れば評価されるわけではない

この本って、コンテンツに関わる仕事をしている人、もしくはしたい人に対して、「コンテンツを売るってこういうことだよ!」って全体像を見せた本ですよね。特に、まだ学生さんとかの場合、コンテンツを出している企業がやっていることって「コンテンツを作ること」だと思っていたりするんですが、実際はその周りに、膨大な量の仕事があることに気づきづらいので、とても有益だと思っています。

そんな大層なことは書いてないですが(笑)。あと、僕ってかなりの凡人だと思うのですが、そんな僕でも社長になってるから、たいしたことないよって思ってほしいです。寄り添うわけじゃないんですけど。

バーグハンバーグバーグに所属するうちのメンバーも、何か特別なことをやっているわけではなく、日々の積み重ねだと思うんです。そういったことをわかってもらえればなとは思っています。

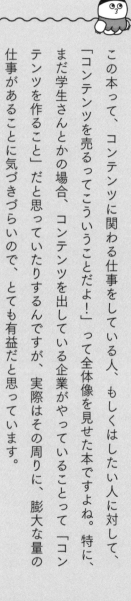

いいですね。僕も何度か、バーグハンバーグバーグさんのコンテンツに出させていただいたことがあるんですが、その日を迎えるまでの事前準備やその場の打ち合わせの精度とか、いわゆる「コンテンツ周辺」のことのほうが圧倒的に大事だったんです。

そのときは「議論をして熱くなった僕に消化剤をかけると冷静になるのか」というのを実際に試すという記事だったんですが、消化剤をかけられるときの顔やかけられたあとのケアなど、非常に細かく決まっていて、進行もスムーズだったんですね。

アウトプットだけを見ると、楽しそうにワーってやって終わってるように見えるけど、実際は、「その顔はちょっとわざとすぎるので、こうしてください」というディレクションがちゃんとあったりと、見えている完成形と、その場で生まれるクリエイティビティを最大にするための工夫が随所にあったんです。

なので、コンテンツを作るということは、企画をしたりそれを実施したり、記事を書いたりするだけじゃないんだよって言いたいですね。

もちろん、事前にはわからないこともたくさんあります。実際に消化剤をかけられると、めちゃくちゃ口に入ってしまうとか、「消化剤ってしょっぱいんだ」とわかったりとか、服のあらゆるところにピンクの粉みたいなのがついて、服を全部捨てるはめになる、という知見を得ることができます。そうすると、次の企画のときに「消化器の中身はしょっぱいから、これを使って新しい企画を作ろう」なども出てくるわけですね。

ものすごく真面目に語っていますが内容がぶっ飛んでいるので、読者の方は全然頭に入らないかもしれません（笑）。言いたいことは、コンテンツづくりで大事なのは、コンテンツの外にもたくさんある、ということを言いたいです。

けんすうさんに消化剤をかけるなんてひどいことをするヤツがいたもんですね！　うちの会社も楽しそうにやってるだけと思うかもしれませんが、だからこそ、人事制度みたいなのはしっかり整えようと意識しています。これで人事制度も無茶苦茶だったらみんな狂っちゃうと思うので。

あと、やっぱり営業って大事ですよね。本を書くことよりも、その後の営業のほうがめちゃくちゃ大事。販売して売れるところまでを１００％とすると、長島さんがこの本を書くことは全体から見て５％ぐらいの仕事になるんです。

コンテンツの中身ももちろんものすごく大事なんですが、その後、どう売るかもすごい重要なんだと思います。実際に、バーグもそうじゃないですか。記事を書いてどう拡散させるか、そして読んでもらうことのほうが大事なことですしね。

コンテンツの届け方ですね。

でも「ライターさんになりたい」って言ってる人たちって、「記事を書けばいい」と思っているだけのケースもあるんです。ライターにまつわるすべての業務を知っておかないと、今はライターになっても活躍しづらいんじゃないかなと。

たしかに。まずは読まれないと広まらないので、拡散までできるライターじゃないと、なかなか大変な時代になっています。

ライターになりたいって言う人って、「自分で書いてみたけど読まれないので、読まれる場所に行けばなんとかなる」と思っている人が多い気もします。

だから、「オモコロに書けば何とかなるだろう」という発想になってしまったりします。しかし、「書く能力の中に、打ち合わせのときのコミュニケーション力、営業力、そして拡散力なども入っている」と思ったほうがむしろ正しいかなと。そこがないと、オモコロとかで活躍することも難しいんですよね。

オモコロ編集部の人みたい！　たしかに確固たる才能があったら話は別ですけど、うちの会社がお仕事をいただけるのって、記事を書くこともそうですけど、記事を書いてからも告知したりときっちりしてるんで、仕事を依頼する側も安心なんだと思います。ウチのメンバーは一応スケジュールを守りますからね。

ふざけてるようで、絶対にここを守ってほしいポイントを絶対に外さないですよね。要は普通にプロとして仕事ができるっていうことなんだと思うんですけど、クライアントからすると安心なんですよね。

コンテンツを作る以外の95%が重要

今回、刊行されたけんすうさんの本（『物語思考　「やりたいこと」が見つからなくて

悩む人のキャリア設計術』幻冬舎）は盛り上げるためにどんなことをやったんですか？

Amazonで予約開始する前に、同じタイミングで刊行される本を調べましたね。競合が人気タレントの写真集だとランキング1位が取れないので、くまなく刊行情報をチェックしました。

他にも、24時間ランキング1位を獲得すると新聞広告でそれをアピールできるので、人の少ない深夜0時から予約を開始して1位をキープできるようにしたりしました。

そのときに、紙の本もちゃんと売れるように、予約特典をつけたりとかも。そのあとにいくつか対談を仕込んで、ちゃんと売れる波を作るようにしています。

すごい色々考えてる！　こうやって聞くと「じゃあそれを全部やればいいじゃん」っ

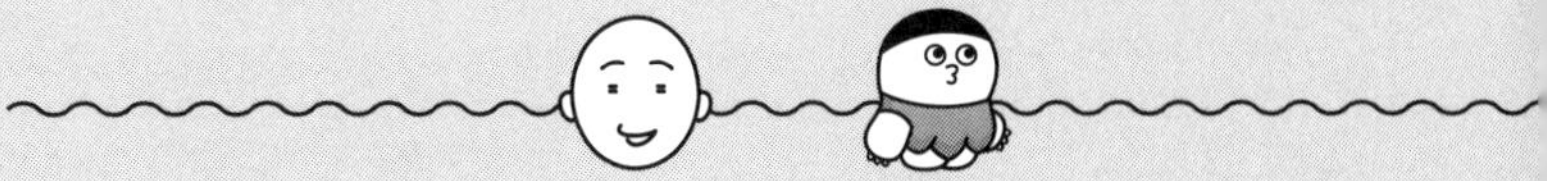

て思うけど、みんなあまりちゃんとやらないですよね。それをやってスベったとしても、実はカッコ悪いことって世間にはあまりバレないじゃないですか。だったら、「できることはやればいいじゃん!」って思うんですよ。

長島さんがいいなと思うのはやっぱり「ちゃんと営業して売らないとだめ」って思っているところですし、超正しいですね!

営業してる感覚はあまりないんです。僕がこの会社に入って間もない頃って、お仕事の問い合わせがきても誰も返信してなかったんです。電話が鳴って出たらそいつが担当になっちゃうからって、みんな電話に出なかったんですよ(笑)。そこをちゃんと整備して担当をローテーションにしたり、ちゃんと割り振って返信したり流れを整えたら、その分しっかり売上が上がったんです。そういう当たり前のことをやるだけでもだいぶ変わるんですよね、ウチだけかもしれないですが。

これ、笑い話のように見えますが、クリエイター個人でいうとやるのを嫌がる人も多いんですよね。作品を出しただけで、世間が気づいて売れて、高く評価されるのがクリエイターとしては一番カッコ良いじゃないですか。

でも、そうやって成功する人って一握りだし、例外なんです。みんな死ぬほど売る努力をしてやっと少しずつ売れる、というのが普通なんですが、それを邪道に見られることすらあるんです。

本を出してくれた出版社さんの気持ちを考えると、著者が本気で頑張って売ってくれると「次も頼もう」って思ってくれるじゃないですか。それどころか、売れなかったのを出版社のせいにして、著者から「出版社が売らないから売れなかった」って言われたら、もう仕事したくないですもんね。

仰る通り。

こういう「コンテンツにまつわる見えない部分」を書いた本ってないですよね。クリエイターになりたい人への書き方講座的な本はたくさんあるけど、「その他の95%があるよ」って知らせる本はあんまりなかった。そこを長島さんが書くと説得力がありますよね。どちらかというと作る側じゃなくて売る側だし。そういう人がいる会社だから、オモコロも作り手が売れてるんじゃないですかね。

ギブ・アンド・テイク

けんすうさんって、めちゃめちゃみんなに「貸してる」と思います。僕も勝手にけんすうさんに借りを作っちゃってるというか、めちゃくちゃ恩恵を受けてると思っているので、けんすうさんが何か始めたら応援したいって気持ちになるし、僕と同じように思う人も多いと思います。

うーん、そう言うとめっちゃいい人に聞こえちゃいますが、ちゃんと損得勘定もあるんですよね（笑）。

たくさん人のために働いていて。たまに来る2年に一度ぐらいのチャンス、例えば本を出すタイミングのときだけ「今回だけシュートを打たせてください」とみんなにお願いすると、みんな打っていいよって決めどころを譲ってくれる。このタイミングはめちゃくちゃ気にしてますね。


確かに「貸し借り」は結構気にしますよね。社長に限らずだとは思うんですけど。

長島さんってその辺のギブ・アンド・テイクがめちゃくちゃうまいですよね。それができないと会社の経営なんてできないとすら思ってます。

「ここでこの人にこれをお願いしたら、こちらがもらいすぎだからやめよう」とかいう、そういうさじ加減ってすごく大事ですよね。今日なんて「けんすうさんの本を10冊買いました」って対談の前に見せてくれたんですが、こういうのってめちゃくちゃ

わかってる人の挙動ですよ。僕は「めっちゃありがとう」って思うし、「この写真を撮っておこう」って次の話に広がっていくじゃないですか。

媚の売り方が下手くそなだけって噂もありますが。

長島さんが持っている10冊のうち1冊でも、社員のひとりが買って、その様子をXに上げてくれたら、さらに僕が「長島さんありがとう」って思うし、このやりとりがきっかけで長島さんに別の仕事を頼んでみようかなって思うかもしれないじゃないですか。それに、紙の本なら出版社の人が喜ぶとか、書店も儲かるとか、いろんな物事をナチュラルにできるのってすごい。

こういうことがさりげなくできる人に仕事はくるって思いますし、この本のターゲットである「ライターさんになりたい」「ディレクターさんになりたい」って思う人にはめちゃくちゃ重要なことです。お金がなくても、ポストで何回も紹介してくれるだけでも目につくし。

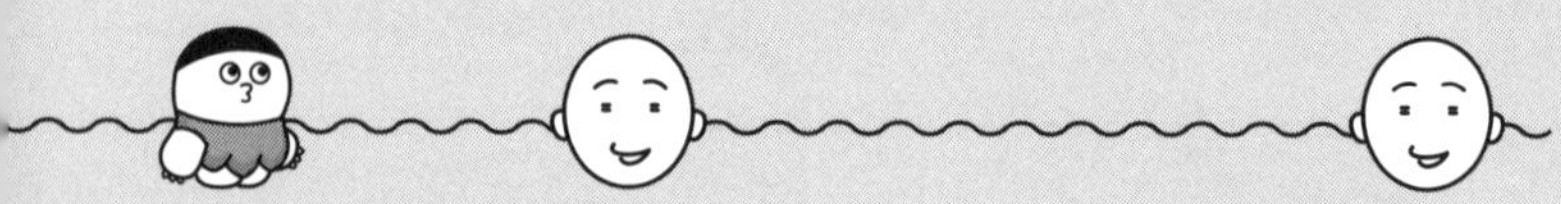

それでいったら、普段から僕らのことをポストして応援してくれる方のことはずっと覚えてますよね。
最近のオモコロの読者って、「オモコロ記事広告を読んで商品を買いました」って、あえてちゃんとSNS上で公言してくれて、それを見た広告主はとても喜んでくれますし、僕も記憶に残ります。

なぜバズ前夜まで努力できないのか

楽しくやれることが一番だと思いつつも、バズるテーマを探していきたい気持ちもありますが、どうやってテーマを探せばいいんですかね?特にこれからライターを目指す方にとってはとても悩むテーマだと思うんですが。

やるのはめちゃくちゃ面倒だけどやったらバズる、みたいなのを探すといいと思います。有名なライターさんとかにとっては、時間を取られすぎてできない、みたいなやつがいいんじゃないかなあ、と思いました。例えば、「誰も調べないことをやたらと深掘ってる話」とかはウケやすいです。

僕、中学生の頃からバーチャファイター2というゲームが好きなんです。で、ある日、大会の様子がYouTube動画で上がっていたんですね。これがすごくハイレベルで面白かったので、解説記事を書いたんです。基本的に全人類がわからないようなゲームの話なのに、これがめちゃくちゃバズったんですよ。ポイントは、読んでも中身が全部わからないはずなのに面白さが伝わるっていう。これ結構すごいヒントだなと思っています。

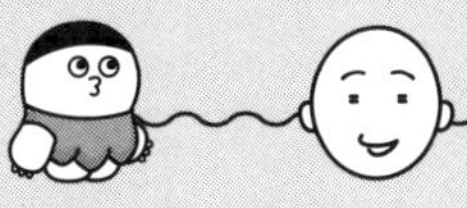

あと、日々のブログでもツイートでもちょっと努力すればできるんだけど、意外とやらない人が多いですよね。

それでいうと、打率で考えるとだめですね。打率が高くないと嫌な人はやらない気がします。

営業って10件やって1件取っても、200件アタックして1件取っても、結局1件は1件なんですよね。打率で考えてしまうと、営業成績が10件アタックして0件だとしたら、もうだめだって絶望しちゃいますよね。読者に喜んでもらえるような良い記事を全力で書くことはもちろんなんだけど、とにかく数打たないと当たらないんじゃないでしょうか。

今後のネットの可能性

今後、ネットはどう変わっていくと考えていますか？

完全にクリエイターとコンテンツの世界になってきていると思っています。この10年ぐらいはプラットフォームが事業としては一番魅力的だったんですが、日本においてはその時期は終わった感覚があります。例えば、この5年で、上場して高く時価総額がついたスタートアップのうち、Vチューバー事務所が2社もあるんです。創業5年で日本にあるネット事業をメインとする企業を優に抜かしている点だけで考慮しても、めちゃくちゃすごいコンテンツだと感じます。

Vチューバーの会社って、主にどんなマネタイズをしているんですか？

スーパーチャットという、ライブ配信への投げ銭がまず大きいですね。世界のランキングのうち、ほとんどがVチューバーという年もありました。初期はYouTube動画をアップして、再生に対する広告費とタイアップ広告で積み重ねたと思うんですが、最近ではグッズやライブが大きな割合を占めています。だからもう、再生数の勝負ではなくなってきているんですよね。

そのうち、バーグハンバーグバーグ、オモコロ自体もPV勝負じゃなくなるでしょうし、広告収入もメイン事業じゃなくなっていく可能性もあるんじゃないかなと思います。

うちって収益の割合も広告収入以外の収益は少なくありません。たしかに、記事でもPVはもちろん追うのですが、それ以外の付加価値、例えば、オモコロの記事だとか、誰が書いたかとか、誰が出演したかとか。そういったブランド力みたいなのも価値に繋がっている気がします。

この結果って「オモコロ」だから人気が出ている部分もあると思うんです。ライター単体で見るというよりもオモコロだから、という、いわゆる「箱推し」の要素も高い気がします。例えば「原宿さん」というオモコロのライターだと推しやすいけど、原さんという個人になると、なんか生々しすぎるのかもしれません。

事務所の価値のひとつでもあるんですかね。けんすうさんは、事務所を作ろうって考えたことはないんですか？

まさに、事務所みたいなものなんですが、その事務所自体がメディアになっている、というイメージなんですね。今までの芸能ビジネスは、事務所とメディアはわかれてたんですが、今はそこの境目が曖昧になっているというか。広い意味の、中間地点としてのメディア、というものになっているのかもしれません。

そして、僕はそのメディアの役割を持った事務所を、キャラクターでできないかなと思っています。ネットでキャラクターを作って、そのキャラクターが仕事する形にできないかなと考えてて、それをNFT（非代替性トークン、代替え不可能なデジタルデータ）でできたりしないかなと。

「sloth《すろーす》」というナマケモノのキャラクターをNFTで販売しているんですけど、現在5000体近くいて、購入すると自分のキャラとして所有できるんですよね。これを、自分が所有する子がYouTubeなどに出演したら自身にフィーが入るようなシステムを作ったら面白いなと考えているんです。

そもそも、「自分が持っているキャラがメディアに出演すると嬉しい」って感情が芽生えること自体、ちょっと新しいですよね。それに、当然だけど、個人って所有できないじゃないですか。例えば、株式会社だったらバーグの株10%を持っていれば10%所有することになるけど、バーグの一社員であるARuFaさんの権利を所有することはできない。このサービスだったら、これまでできなかった「個人の所有」ができるようになって面白いですよね。ただ、やはり個人を縛ることはできないので、それをキャラクターでできないかなあ、と。

すごい次元ですね。うーん、でも、実態としてはまだまだNFT自体がちょっと胡散臭いという印象を持っています、無知なだけなのかもしれませんが。ただ、そこらへんの違和感を抱く人も中にはいるんじゃないかと思うんですけど、どうやって打開されていくんですか？　おそらく僕のように興味はあるんだけど、違和感があるからやれていない人は一定数いると思っています。

僕自身の体験談からいうと、90年代はインターネットが超危ないと思われていたし、

初期のYouTubeも基本的に違法動画だらけだったから、「安心」という感情を獲得するまでに10年くらいかかった感覚があるんですよね。だから、NFT自体を世間に浸透させるにもやっぱり10年はかかるんじゃないでしょうか。

僕の友達に、「イケてるしヤバい男　長島」というヤバい人間としてPRして世に出てきた友達がいるんですけど、その人も最初はめちゃくちゃ胡散臭い人でした。

聞くからにヤバそうな人ですね（笑）。でも確かにそうで、僕がニコニコ動画の広告営業をしてた頃って、ニコ動は無断掲載された違法動画だらけのサイトだったから、ゲーム会社さんとかはニコ動に対してめちゃくちゃ怒ってたんですよね。だから、営業しに行っても「どの面下げて営業しに来たんだ」って怒られてた時代でした。どの時代も導入時期って結構苦労しますよね。

今だったら、どの会社も「ゲーム実況してください」って、逆にお願いしてくれるかもしれないけど、当時は全然違いましたからね。

ニコニコ動画の後にニフニフ動画ができたときなんて、「ニフニフ動画は知ってるけど、ニコニコ動画なんて知らねーよ」って言われたこともありましたよ。

それは絶対嘘でしょ！（笑）。まあ個人だとどこか限界がくるので、中間に入る事務所が必要だよねって観点で考えるとバーグの存在意義って結構大きいですよね。

アイドルの方も卒業して個人活動を始めると、ファンが離れていくことってありますよね。それってシンプルにそのアイドルが好きだったというよりも、所属していたチームで活躍する姿を推していたのかもしれない。「好き」「推し」の解像度を上げていくと、それ以外の要素もあるのかなって聞いていて思いましたね。

最後に、この本って「コンテンツを作る人がやるべきことは、コンテンツを作ること以外にもたくさんある」ってことが書いてあるじゃないですか。とても大切なことなのに、何で今までこういう本がなかったんだろう?とすら感じています。

おそらく、自らコンテンツを生み出すクリエイターの人は、そういう話をしたがらないんじゃないかな。「作品が良いから売れてるんだ」って言いたいだろうし、根回しや人脈で売れたとは思われたくないって自負があるのかな。この本の中にある長島さんがやっているひとつひとつのことが、すごく重要だと思います。

普段、あんまり会社の内側を書くことはしないのですが、読者のみんなにうまいこと伝わっているといいなと思います。

長島さんのように、コンテンツを支える立場の人になりたかったら、この本を読んで勉強すると良いと思いますし、コンテンツを普段から作っている人だったら、「周りがこんなことやってくれてるから上手くいっているんだ」ってリスペクトできる環境になるといいですよね。

みんなハッピーになりたいですね。今日は本当にありがとうございました。

ありがとうございます。

けんすう（古川健介）

起業家、エンジェル投資家、アル株式会社代表取締役。1981年生まれ。浪人生時代に「ミルクカフェ」という受験情報が集まる掲示板サービスを立ち上げたあと、レンタル掲示板の「したらば掲示板」を運営。新卒でリクルートに入社後、起業してハウツーサイトの「nanapi」をリリース、2014年にKDDIグループにM&Aされる。現在は「クリエイティブ活動を加速させる」ために、きせかえできるNFT「sloth」、成長するNFT「marimo」などを手掛けている。著書にベストセラー『物語思考 「やりたいこと」が見つからなくて悩む人のキャリア設計術』（幻冬舎）がある。

おわりに

僕は自己啓発本みたいな本が嫌いです。ましてや自分がそういった本を書くなんてもってのほかです。

あとは「バズる法則50選！」とかもです。なんかそんな法則を提示されたら途端に冷めちゃうというか、つまらないと感じてしまうからです。

さて、約1年ほど前、今回の書籍制作のお声がけをいただいてビジネス書的な本を書くことになったわけですが、おそらく求められていたことは「ビジネスがうまくいくたったひとつの方法」とか「これを読めばバズが理解できる！バズるコンテンツの作り方」的な本だったんだと思います。僕にはそんな本は書けません。そもそも知見がないし、僕が書くのはとてもおこがましいと思います。

ただ、こういった会社を経営させていただいて、色々な方とお話しする中で「クリエイターと一緒に仕事がしたい」「クリエイターをサポートする仕事につきたい」といった方がとても多いということがあって、僕のようなポジションもクリエイターにとっては重要なのかな、であれば何かの力になれればなということでおこがましくも書いてみました。

本書を読んで少しでもコンテンツを作る仕事や、それを支える仕事に興味を持っていただけたら嬉しいです。Amazon の商品ページやSNSで感想も書いてもらえたらなお、嬉しいです（つまりBIG KANSYA）。

この一冊がコンテンツをサポートする人にとっての希望となりますように。では、また、コンテンツでお会いしましょう。

STAFF

構成協力　高橋直貴
装幀　三瓶可南子
イラスト　つまようじ
校閲　鷗来堂
編集　立原亜矢子

長島健祐 NAGASHIMA KENSUKE

株式会社バーグハンバーグバーグ代表取締役。新潟県新潟市出身。大阪芸術大学音楽学科卒。ニコニコ動画の広告の立ち上げに参画。その後、グリー株式会社、株式会社 nanapi（現 Supership 株式会社）でＩＰ戦略、アライアンス、メディア運営など様々な分野で経験を積み、2016 年にバーグハンバーグバーグに参加。2019 年、代表取締役に就任。社長となった今でも数多くのデジタルプロモーションに第一線で携わり続けている。

センスは5%
クリエイターをサポートするための45の技術

2024年3月31日　第1刷

著者　長島健祐
発行者　小宮英行
発行所　株式会社 徳間書店
〒141-8202　東京都品川区上大崎3-1-1
目黒セントラルスクエア
電話　編集（03）5403-4344
販売（049）293-5521
振替　00140-0-44392

印刷・製本　中央精版印刷株式会社

ISBN 978-4-19-865668-3